それでは きいてください。
『こどもは古くならない。』

こどもは古くならない。もくじ

こどもは古くならない。

ことばになる前のことばを、
こころのなかで踊らせよう。

「たった一人。ぼくしかいない部屋」にも、
孤独とぼくとがいる。
それだけで、その部屋は生きている場である。

この、ぼくの書いた短文は、
あなたが読むことによってここにあらわれる。
あるいは、たったひとりでも読んでくれる人がいると、
信じていることで、書くことは続けていられる。
書いたものが読まれるというのは、
実に、たいへんに幸福なことである。

中のこどもの話。

クジラのなかには　中のこどもがいるんだって。
クジラは　あんなに大きいけれど
中のこどもは　それほどでもないんだ。

クジラのかたちをした　中のこどもは
広い大きい　海をゆく。
こどものままじゃ　泳ぎきれない海を
クジラになって　どこまでもゆくんだ。

もちろん　犬のなかにも　中のこどもがいるよ。
ころげまわったり　たいくつしたり
ごはんを食べたり　うんちをしたり

犬のかたちをして　すごしているけれどね。
中のこどもは　もっともっとあそびたいらしいよ。

かぶとむしのなかにも　中のこどもはいるよ。
うごくの　ゆっくりだけど　たまに　とぶよ。
中のこどもは　とぶのが　好きらしいよ。
じゅえきを　ちゅうちゅう　のんでるよ。

中のこどもは　目には見えない。
でも　どんないきものにも　かならず　いるよ。
中のこどもが　げんきなら
クジラも　犬も　かぶとむしも
げんきでいられるんだってよ。

新作をつくり続けること。
それが、どれほど困難で、おもしろくて、
新しい出会いや経験を必要として、
じぶんという見えないライバルにのしかかられて、
他のなにもかも捨てたくなるほどの集中力が消費されて、
もうやめようかという誘惑に毎日襲われるようなことか。
おそらく、新作をつくり続けている人は、
骨身にしみて知っている。
だけど、新作をつくり続けている。
おれはおれ自身で、新作と格闘していたい。
失敗してでも、新作をつくり続けることが生きることだ。

気持ちわるいのだけれど、気持ちいいようなこと。
悲しいはずなのに、悲しさが降りてこないような時間。
ずっと笑っていたのに、さみしさが増えていく心持ち。
名付けようのない、しかも取るに足らないような感覚は、
ないことにするわけにいかない。

じぶんの頭で考えることは、ほんとうにいいことです。
じぶんの頭で考える機会は、どんどん減っていきます。
それは、世の中が過剰に「親切っぽく」なったから、
だけではなく、じぶんの頭で考えないほうが、
ものごとがスムーズに進むからかもしれません。
じぶんの頭で考えるのには、
考えないよりもちょっと余計に時間が必要になります。
それから、失敗の原因がじぶんになったりもします。
だけど、じぶんの頭で考えることはいいことです。

ぼくがじぶんの頭で考えたところでは、
人は、せっかく「じぶん」として生きているのだから、

その「じぶん」であることを続けて生きたほうが、
おたがいの「じぶん」を眺めあったり、
助けあったり、組み合わせあったりして、
「同じじゃないこと」が増えると思うんです。
で、そっちのほうが気持ちいいのではないかと、
そんなふうに思えるんです。

みんなの意見とそっくりだからとか、
多数の人たちと同じように見える考えだからといって、
じぶんの頭で考えてないわけじゃありませんよ。
借り物のまんまの少数意見だっていくらでもあるしね。
そこらへんが、また、おもしろいところです。
じぶんの頭で考えることは、「勇気」に似たものなのかも。

「どういうやせがまんをするか」こそが、
その世界の文化なのだと、ぼくは思う。

意見がちがったり、趣味がちがったり、
価値観がちがったりするのだけれど、
「気が合う」人というのがいる。
それって、どういうことなのか考えてみると、
「恥ずかしさ」の感覚が似ているのではないか。

うれしいことがあったときだとか、
称賛したいようなことがあったときに、
両の手のひらを叩きつけて音を出すこと、ま、つまり、
拍手をするという習慣は、万国共通なのではあるまいか。

大人気のロックスターであっても、
時代の大権力者であっても、
習い事をはじめたばかりのおばあちゃんであっても、
小さなこどもや赤ん坊であったとしても、
拍手をされるとうれしいものである。
そして、拍手している側の人も、
なんだか好ましい人に見える。
笑顔が、たくさんの人を笑顔にするように、
拍手というものも、あちらこちらを、

しあわせな場面にしてくれる。

なにかと手を叩いてパチパチ鳴らす赤ん坊を見ていて、
ぼくは、このまま大人になればいいなと思った。
なにかと笑顔を見せてくれるのも、とてもいい。
そして、なにかといいものやいい人を称賛したり、
祝福するかのように拍手をする人になることも、
とてもいいことだし、人にもよろこばれると思うのだ。

いい人やいいことを見つけて、ちゃんと拍手する。
いや、いい人のタネや、いいことの可能性を見つけて、
先回りして拍手をするくらいでいいのではないか？
「拍手を惜しんだって得もしない」し、
「拍手したって、損はしない」、笑顔と同じだよねー。

企画を出そう。
いい考えを出そう。
おもしろいことをやろう。
みんなをよろこばせることをしよう。
いろんなことに関心をもとう。
つまり、
感心しよう。
ほめよう。
よろこぼう。
紳士淑女になってみよう。
愛されよう。
愛そう。
やせがまんしよう。

踊ろう。
驚こう。
励まそう。
手伝おう。
慰めよう。
ご馳走しよう。
笑わせよう。
笑顔を探そう。
想像しよう。
夢をみよう。
遊ぼう。
歌おう。
ことばをいい声で出してみよう。

絵を描こう。
人を呼ぼう。
つまり、そのひとつひとつが、
企画を出すことだ。
いい考えを生み出すことだ。
みんなをゴキゲンにしよう。
右に記したような短いことばを、
一行分でもやろうとしたら、
きっとできる。
そのひとつができると、
ちょっとなにかが変化する。
インチキくさいことを
言ってるみたいだよね。

そうかもしれないけど、
ほんとのことだ。
うんうん苦しんでいるよりも、
感心しよう。
ほめよう。よろこぼう。
紳士淑女になってみよう。
愛されよう。愛そう。
やせがまんしよう。踊ろう……。

「なんとかなる」ほどすばらしいことはない。
「なんとかなる」は、「うまくやった」の同義語である。
同じじゃないけれど、同じようなものだ。
なにかしらを失っていたとしても、
どこかしらに傷をつくっていたとしても、
「なんとかなる」に勝るものはない。
勝った負けたよりも、成功したかしなかったかよりも、
「なんとかなった」のほうが、価値が上なんじゃないか。
いや、上だの下だのも関係ないな。
「なんとかなる」のなかには、欲も夢もないかもしれない。
そこらへんのいろいろに足をとられていない。
ただ「なんとかなった」のは、
「なんとかならないかな」と
じたばたするのをやめなかったじぶんのおかげだ。

コツやテクニックみたいなものよりも
「人がちゃんと話を聞いてくれる人になる」
とかのほうが大事なのだと思う。

思えば、ぼくが長い時間やってきた
コピーライターという仕事のほとんどが、
「向こう側」からじぶんのやっていることを見る、
ということだったように思う。

あなたが「いらっしゃいませ」と言うときに、
「向こう側」には、
「いらっしゃいませ」と言われた人がいる。
いいお医者さんは、患者さんがどう感じるかを想像する。
いい先生は、生徒の理解の状態を想像する。

すでに知っている人には、
まだ知らなかったときの記憶があるはずで、
その記憶を捨ててさえいなければ、
「向こう側」の目を確保できるのだと思う。

こどものときに感じたこと、若者のときに思ったこと、
絵本のなかにしかないこと、歌のなかにしかないこと、
「この現実」の他に、無数の「向こう側」がある。
どちらも知っていて、自由に行き来ができること。
そういうことができてる人に、なりたいものだけどねぇ。

昨日の夜中、寝る前に、
たった2行のショートショートを思いついた。
「ほんとうに国民を信じている大統領だったので、
すべての国民に核ミサイルのスイッチを配った。」

淡水に棲むのがカワウソ。
海水域にいるのはウミウソだが、
舐めるとしょっぱいという特徴がある。

ころっけ。

犬がいなくて、この道を通るのは、
たぶんはじめてじゃないんだけど、
はじめてのようにさみしいものだな。
コロッケを買いに行く、早い夕方。

なでられずき。

ブイコは、わりとなでられ好きです。
どこらへんをなでても、
だいたいは当たりみたいです。
お礼に、腕とかをなめてくれます。

先日いっしょに食事をしたとき、
幡野さんは写真を撮ってなかった。
はずだったけれど、
あとで、こんな写真が送られてきた。
恐るべし、と思ったよ。

写真＝幡野広志

ぼくらの団体は、
このゴールポストの
右側のあたりにいます。

「1%のひらめきを支える99%」のことは、
「努力」と言わずに、「善き習慣」と名付けたら
いいのではないか。

ひょいひょいと身軽に、人のためにじぶんを使える人は、
他の人を気持ちよくさせる。
頼まれごとをしぶしぶやろうとする人間が、
人に好かれるということは、なかなかむつかしい。
「うん、いいよ」とすっと言えて、
軽やかに人の役に立とうとしてくれる人がいると、
そこにある関係や、その場をあかるくもしてくれる。

ちょっと久しぶりに会ったともだちから、

「いま、こういうことをやりたいと思ってるんだ」

というような話を聞くと、もううれしくてしょうがない。

じぶんの得意なことがある人が、
くり返し同じようなことをやっていくというのも、
ぜんぜん悪くないとは思う。
それはそれでいいのだけれど、その枠から逸脱して、
「どうしてそんなことはじめるの?」と、
あらためて訊きたくなるようなことに
手を付けたがるというのは、
「それでこそあんただ!」といっしょに笑いたくなる。
「これをやるべきだ!」と、わかっちゃったのだろう。

そういう気持ちを大事にしたほうがいい。
ぼかぁ、賛成だ。
どんどんやろうじゃないの、いずれみんなにもわかる。

ぼくも、久しぶりのともだちに会ったときに、
いつでも「こういうことをやりたいんだ」と、
真剣に言っている人間でありたいと思う。
批評とか評論とかに時間を使っているよりも、
「こういうことをやりたい」の話をしていたいと思う。
他人の話をしていても時間は過ぎていくし、
じぶんのやりたいことを話していても時間は過ぎる。
人生の先行きがあんまり多くないのだとしたら、
後者を選ぶに決まってるだろうよ。

いろいろありますよねぇ。
ほんとに、いろいろある。
いろいろいろいろあるものです。

みんなそれぞれ、いろいろあるんです。
人に言ってることでもいろいろあるんですけど、
人に言ってないこと、言えないこと、
言うまでもなかったり、言おうと思いつけないこと、
とにかくいろいろあるものです。

そのいろいろを、みんなが持っていると想像する。
じぶんにいろいろあるなぁと思ったときに、
他のだれにもいろいろあるんだろうなぁと思ってみる。

じぶんたちの歩く道の向こうに驚きがなくなるとさ、
化けられなくなると思うんだ。
「じぶんたちを信頼できる」ということと、
もうひとつ「じぶんたちに驚ける」ということが、
どっちもなきゃいけないんだ。

今年の梅雨はずいぶん長い。
おかげで、夏というやつがどんなものだったのか、
忘れてしまいそうになっている。

空が青い、白い雲が見える。
セミの声が聞こえる。
どこかの家の塀に朝顔がからまって咲いている。
プールに通うこどもたち。
汗をふきながら歩くおとな。
そこらへんまで思い出したとき、
想像上のその景色に雨を降らせる。
ざんざんざん、ざかざんざん。
まだ夏は来ないのか。

ビールのジョッキを自慢そうに飲み干す人。
もうひとりの人も、もうひとりの人も。
ここはビアガーデン。
枝豆の皮がたくさん山盛り。
もう一杯、もう一杯とビールが運ばれる。

なにがおかしいのか、あちこちで笑い声。
むうっと湿気を帯びた熱い空気。
唐揚げ頼んだのだれ？　いっぱい来たぞ。
想像上の、夏の景色に雨を降らせる。
ざんざんざん、ざんざかざん。
長いよ、この雨、止まないよ。

夏は秋になったら来るのかな。
夏休みは来ても、梅雨が終わらなかったりして、
そんなの、ああ、恐ろしすぎるよ。
夏をすっ飛ばして冬になるとかあるんじゃない。
だめだめ、そんなのだめだよ。
それでも、ざんざか雨が降る。
梅雨は、永遠に終わらないのではないかい。

なんて冗談みたいなことを言っていて、
ふと、思った、ぼくらは、なんやかんや言って、
夏ってものを、ずいぶん好きなんじゃないかい。
夏よ、来週は来いよ。

写真＝幡野広志（P42～54）

「死ぬ」は品詞としては動詞である。
「遊ぶ」や「動く」も動詞であるけれど、
「死ぬ」が動詞であることは、
そういうのとはなんだかちがう気がする。

「生きる」も動詞である。
「生きる」は「死ぬ」がないと成立しない。
もちろん「死ぬ」も「生きる」のおかげである。

こんなにたくさんの「死ぬ」を思うということは、
じぶんがそっちに近づいているからだろうと思う。
こどものころも「死ぬ」の謎について
ずいぶんたくさん考えたような記憶があるけれど、
ほんとうに「死ぬ」に近づいてくると、
それは謎でもなんでもなくなって、
空や大地や水や夜のようなものになってくる。

「死ぬ」のはいやだとか思うのは、
じぶんが死なないかもしれないと考えているからかな。
いつかは、だれでも、絶対に「死ぬ」のに、
「いや」も「いい」もないのではなかろうか。
空を、大地や水や夜を、いいのわるいの言えないだろうに。

史上最大というような肩書をつけた大嵐が、
みんなの注目を浴びているときに、
塵や埃のように小さなひとりずつの生や死が、
たったひとつの史上最大として点滅している。
塵や埃や、あなたやわたしは、
たがいに「おーい」と呼びかけあっているという意味で、
宇宙そのものの一部分である。

書かれた文字は忘れられることや消えることはあっても、
この文字があったという事実は消えることができない。

いまの季節、いまの時期に、
日本を観光で訪れている外国の人たちは運がいい。

川があればその畔に、山があればその麓に奥に、
公園にも、学校にも、どなたかの庭にも、
桜の花が咲いているのである。
新しい芽がふいて小さなつぼみが見えたころも、
満開になるまでの艶やかな花の移ろいも、
散りはじめて風や光と遊んでいる花びらの舞も、
ソメイヨシノが終わってからだって
ここから本番だとばかりに花を開く昔ながらの桜たちも、
すべてたのしんだら、三月、四月、五月と、
けっこう長丁場の舞台を堪能することができる。

この細長い緑の島国のあちこちが、桜の色に染まるのだ。
世界中の景色を、ぼくは知ってるわけではないけれど、
この季節の桜の舞台は、
どこのだれにでも自慢できる盛大な催しだと思う。

春に日本にいらっしゃい。
外国のともだちがいたら、そう伝えてあげたい。
桜、さくら、SAKURAが、
日本のひとつの象徴のようにも語られているけれど、
絵画や写真やデザインではなく、
実際の桜の下を歩く体験をしたら、
いつまでも思い出に残るだろう。
だって、毎年桜を観ているぼくらだって、
新しい春になるたびに、桜の花をよろこんでいるのだ。
国際会議とか、スポーツの国際大会とか、
ほんとうは、この季節に合わせて開くほうがよかったね。

桜は木に咲くから、遠くから見ることもできる。
その下に立ち止まって見上げることもできる。
桜が、ちょっとだけ得意でないことといえば、
犬といっしょに写真を撮られることぐらいかな。

あなたは、たとえば、大量のさんまを焼く機会があったとして、それだけさんまを焼くと、着ていた服なんかもう、いくら洗濯しても匂いがとれないぞ、というような場合、そこに着ていく服を持っていますか。▼雨が降りそうな野外の催し物があって、地面がぬかるんだり泥んこになったりするかもしれない。そういうところに向かうとき、どういう服を着てどういう靴を履いていきますか。▼海外のロケ仕事があるのだけれど、どうやらそうとうに厳しい場所に行くことになりそうだ。こんな場合に、服や靴はどうしますか。▼ぼくは、ダメになってもいい服や靴を、けっこう持っています。ほんとうは捨ててもいいのですが、上記のような事情のある外出に備えて、捨てないでとっておいてあるのです。しかも、そういう汚れたり濡れたりするような機会は、一回だけではないと思われるので、何着も、何足も、捨てても惜しくない服と靴を用意できるように、大事にしまってあります。▼だから、ぼくの持っている服や靴のほとんどが、捨てても惜しくなくて、ふだんはほとんど不要な服や靴なのであります。すごいでしょう、ぼくの準備のよさは。▼「要らないがゆえに役に立つかもしれない」というものを、ぼくはたっぷり所有しているのです。主に、服と靴のことを言っているつもりでしたが、もしかしたら、他のいろんな領域のことについても、「ほんとは不要であるがゆえに、捨て駒にするもの」というやつを、溜め込んでいるような気もします。▼いらないものでいっぱいの頭のなかについて、それは整理すべきじゃないかと思ったりもしてます。じぶんという密林は、わけわからない謎のままです。

家族とかご夫婦とか少人数で仲よくお店をやっていておいしいという店が好きだ。おいしいと評判で、実際においしいと感じても、あんまり通うことのない店もよくある。おいしいも大事なのだけれど、ぼくや家人は、仲のよさだとか、人柄も、味わいに行っているのだと思う。▼ずいぶん昔のことになるけれど、ぼくはお笑い番組の審査員をやっていたことがある。司会は横山やすしさんで、審査員長が映画監督の大島渚さんだった。やすしさんは何回かに一度怒っていた。大島渚さんは、だいたい機嫌よくしていたが、たまに、じぶんの発言に興奮して怒り出したりもした。▼あるとき、大島さんがなにに対してだったか、大声で怒り出したことがあった。「ぼくたちはね、仲がいいのを見たいんだよ。漫才コンビの、仲がいいのを見たいんだ！」という内容のことを何度も言った。若かったぼくは、おもしろいことを言うなぁと思った。ユニークな審査員長だと思っていたけれど、「漫才は仲のよさを見たいもの」という審査評は、思ってもみないものだったが、妙に説得力があった。いままで、ずっと憶えているのだから、よほど印象に残っていたのだろう。▼食事をするのに、お店の人たちの仲のよさを味わう。これも、食事に順位を付けるような発想からしたら、ちょっと的はずれな考えなのかもしれない。でも、ぼくはこのことについて叫んだりはしないけど、「めしは、仲のいい店で食べたいんだ」と言いたい。▼「仲よく」は、漫才であろうが食事の店であろうが、そして会社であろうが「目的」にすることじゃあない。おもしろくやら、おいしくを一所懸命にやっていたら、自然と仲よくやることになっていた、と、そうなっているのが理想なんだろうねぇ。利益は目的じゃなく手段。仲よくも目的じゃなく手段かな。

マンガ家になりたいと思ったぼくでしたが、さしたる努力もせず、はじめの一歩も踏み出さず、ただうやむやのうちに、マンガ家はあきらめたのでした。▼で、ふと、いまさら思ったのです。ぼくがもっと努力をして、研究したり修業したりして、相当の力量を身につけてマンガ家になったとしたら、水木しげる先生だとか浦沢直樹先生だとか、吉田戦車先生だとか和田ラヂヲ先生だとかと、「しょうばいがたき」になっていたということだぞ、と。いやいや、そんな方々と競争できるとしたら、それはもうオリンピックに出るようなクラスの話だから、それよりはずっと低いレベルのところで、苦労したり自己満足したりしながら生きてたんだろうな。▼危なかったぜ！　ほんとうのじぶんより40倍くらい才能があったり努力ができたりしていたら、もっとずっとキビシイ人生を送っていたにちがいない。▼野球なんて、もっともっと怖いよ。ぼくが、実際のじぶんより80万倍くらい才能があって、しかもまじめに練習もしていたら、もしかすると（！）プロ野球選手になっていたかもしれないじゃん。そしたら、ぼくがファンという立場でえらそうに「あいつがしっかりしないからどーのこーの」なんて言ってる、二軍と一軍の間くらいの選手に成長していたかもしれないわけですよ。もちろん実際の80万倍くらいうまくいったら、ですよ。最高にうまくいってしまったら、大変だったですばい。小学校6年生くらいの早い時期に、野球の選手になる夢をあきらめてよかったですよ。▼宇宙飛行士の夢も早めにあきらめてよかったし、言いにくいけどビートルズになることも、あきらめた。夢をあきらめ、努力もせずに生きてきて、どうでしょうか。結論的に言えば、ほんとに助かったよ、でした。なるようになった、というのは、けっこう幸せかもなぁ……。

いろんな「よろこび」のかたちがあるけれど、けっこう捨てたもんじゃないのは、「ぬかよろこび」というものなのではないでしょうか。▼じぶんでも、何度も経験があります。「ぬかよろこび」は、こみあげるようなよろこびです。そして、ほんとうは幾ばくかの不安があるのに、「うまくいった！」というような、降って湧いたような幸運とともにあるので、結果的に「ぬかよろこびだった」と知ったときにも、「そうか、やっぱりそうだったか」と、妙におとなしく納得したりします。でも、「ぬかよろこび」をしているときというのは、「当確」から「当選」に至るというような「まともなよろこび」以上の興奮があると思います。感動のかたちとしては、最高かもしれません。▼そして、いまの時代に生きている人は、「ぬかよろこび」する力を失っているのかもなぁ、と思うのです。ほんとうによろこぶには、まだここが足りない、こういう場合は失敗になる、確率が低すぎる……。「まだよろこぶのは待て」というのが利口な態度で、真のよろこびにたどり着くまではよろこぶな、とか。たしかに、その通りなのであります、ぼくも、それを考えますし。そのほうが責任ある態度だし失敗が少ないでしょうから。▼でも、「ぬかよろこび」のタネを見つけて、ほんとは不確かなものに飛び上がってよろこべるのも、自然で、大事な才能じゃないかと言いたいんですよね。考えはじめてすぐの時点で、笑いだしたくなるというのがアイディアってやつだったりもしますし、ほら、みんなが大好きな恋愛とかだって、「ぬかよろこび」みたいなものが推進力でしょう？

まず文の頭に「そういえば、おれ……」と書いてみる。
そういえば、おれ……2年以上も毎日ヨーグルト食べてる。
そういえば、おれ……あんこう鍋って食べたことないわ。
なんてことも思い浮かべられますよね。
そういえば、おれ……油絵って描いたことないな。
ということだってあるでしょう。
つまり、これは「発見」を導き出すフレーズなのです
「ほぼ日」の社内で、ぼくらはいつも、この、
「そういえば、おれ……」を出し合ってるように思います。

「彼女はおまえを愛してるよ。 いいぞ、 いいぞ」

という歌を流している。

「Ｙｅａｈ、 Ｙｅａｈ」を「いいぞ、 いいぞ」と訳したのは、

はじめてですが、 気に入ってます。

人を愛しても、人に愛されてもストレスはかかる。
引っ越しをしても、転職をしてもストレスはかかる。
うまいものを食っても、まずいものを食っても、
スポーツをやっても、スポーツ観戦しても、
なにかしらでも環境に変化があれば、
すべてストレスがかかるものだと、ぼくは考えている。

こうして考えていくと、逃げたら負けだなと思う。
「ストレス歓迎」の姿勢でいることが、
人生をたのしくやっていく方法のような気がしてくる。
悲しいだとか厳しいだとかも歓迎してしまう。
薄いストレスや淡いストレスも慈しむように歓迎する。

ストレスから逃げようとすると、重くのしかかるからね。
両手を差し出してにこやかに迎えに行く。
あとは、あれだな、睡眠時間をケチらずにとること。
そして、なるべくちゃんと食うこともセットだろうね。

コミュニケーションの場面で、
「水平」であることはとても重要です。
人間の関係に、上や下ができてしまうことについては、
個別にさまざまな歴史と事情があって、現実的には、
そうかんたんに直せるものではないでしょう。
でも、コミュニケーションの「水平」は、
上だの下だのの関係を壊さなくてもできるのです。
そのほうがいいと、双方が信じていればできるはずです。
たくさんのルールは必要としていません。
相手に対する「敬意」さえあればいいのです。
そして、そのほうがいい結果につながるはずです。
「水平」なコミュニケーションであれば、
上からも下からも関係なく、いい考えがよく転がります。

魔法というものが、ほんとはどういうものか。
ぼくは知らないけれど、音楽というのは、
かぎりなく魔法に近いものなんじゃないかねぇ。

人というものが、どういうものか。
やっぱりぼくは、よくわからないままだけれど、
人のとても大事な部分がこころというやつだとすれば、
音楽は、その、こころを響かせるからなぁ。

音楽によって、こころを響かせた人は、
よろこぶにしても、悲しむにしても、

力を増してしまうんだよね。
空っぽになりかけていたところが、
生きる素みたいなもので満たされてしまう。

そんなことをできる音楽ってやつは、
やっぱり魔法みたいなものだと思うんだ。
魔法ってやつがフィクションだとしても、
音楽はフィクションじゃなくて、
いくらでもあって、どこにでもほんとにあるからね。

接戦上等！

ミナ ペルホネンの
展覧会。都現美。

「世界をじぶんなりに
もうひとつ
つくっちゃう覚悟」
に出合って
たじろぎなさい。

たのしかったです。
おつかれさま。
「自由」でした、
まことに〜〜。

お墓参り、
いつのまにか
好きになっていた。

はじめなきゃ、はじまらない。
おもしろいだとか、ノッてきただとか、
そういう快感は、はじめる前にはありえない。
いやでもなんでも、はじめたら、なにかがはじまる。
つまり、まずは「はじめなきゃなにも」である。

はじめるためには、どういうときがいいか。
はじめるには、ときというものがある。
急いでいいことなど、なにもない。
右の3行は、実は、「よくあるまちがい」である。
これを、先に考えすぎると、いつまでも走り出せない。

いつはじめるかについての、その「いつ」が、

いまではないとしても、
それでも、いまできることがあるはずだ。
さらにいえば、いまできることがなんなのかを、
探りはじめることなら、いまからはじめられる。

環境を整えて、そこから気持ちよくはじめる
なんてことは、やっちゃいけない。
歩きながら考えるのなら、いま歩きだすことだ。
紙とペンを目の前に置くのは、とてもいいことだ。
平気で、まちがったことを考えはじめればいい。
利口ぶるな、アホのまま、アホの考えを「いま」、だ。

どれをはじめるのか、それだけを選んで、
いま、はじめよう。

なにをするにしても、大事なのは人だ。
いい人が、力を発揮できるような環境があれば、
いい人は、力を発揮できることであろう。
いやいや、冗談みたいだけれど、そういうことだ。
人と、人がのびのびと活躍できる「場」をつくる。
それが、なにより大事なことだと思っている。
一にも人、二にも人、そして場。
これが「生み出す」ということの根っこだ。

スポーツのチームでも、趣味のグループでも、
事業をやる会社でも、みんなの力を向上させるのは、
先輩の仕事なのだという気がしている。
憧れられるような先輩が、周囲にたくさんいる。
先輩同士が、思いやら技術やらを語りあっている。
それを後輩は見ているし、先輩は気前よく教える。
先生は、その大元のところにどんと構えている。
こういうの、憧れだなぁとつくづく思う。
先輩たちも、「元々は後輩」が力をつけた人たちなのだ。

ものごとを考えるのに、
時間をかけ過ぎると理詰めになっちゃう。
そして、時間をかけな過ぎると、
これまた意外と平凡な理詰めになっちゃう。
どっちなんだ、答えがないじゃないかと言われれば、
そう、ほんとにそのとおりだ。

理詰めになっちゃうのは、いけないのかと言えば、
そうだなぁ、だいたいはいけないんだよなぁ。
理詰めの答えが要求されているときには、
理詰めの答えでいいんだよね。
でも、たいていは、理詰めの答えは望まれてない。

ぐだぐだ、どうにもならないことを

言ってるように思うだろう？
ちがうよ、ここのぐだぐだから抜け出したいんだよ。

「あ、それだ！」とわかるのが、ほんとの答えだ。
理詰めの答えは、「あ、それだ！」とならないんだよ。
「あ、それだ！」は、
「あ、いいこと考えた！」とセットになってる。

毎日だか、毎時間だか、浮かない顔をして
結局は理詰めになっちゃうようなことをするなよ。
とにかく、「あ、いいこと考えた！」「あ、それだ！」が、
行き先なんだから、そっちに向かおうよ。
いちばんだめなのは、時間にしがみついていること。
ぼく自身にも、考えている仲間たちにも言いたいことだ。

いいかい？　進化だって変化だろう？　進歩も変化だ。
発展も変化だ。成果も変化のおかげだ。成長も変化だ。
驚きも変化だ。うれしいと感じることも変化だ。
生まれるも変化だ。申し訳ないけど死ぬも変化だ。
出会いも変化で、別れも変化だ。
強くなるのも、おもしろくなるのも、上手になるのも、
おいしくなるのも、金持ちになるのも、貧乏になるのも、
ネガティヴだと思われていることも含めて、みんな変化！
生きていれば、変化する。
そして、それらの変化を経験した人生になっていく。

深く深く突っ込んでいくと、だいたい行き詰まる。
そして、息詰まっていくのだ。
答えに関係ないところまで深く深く掘ってしまう失敗は、
世の中のあちこちにたくさん見つかる。
つながりもなく、栄養もなく、ただ暗く深くなる。
これは、ほんとうに不毛なんだよなぁと、ぼくは思う。
昨日、ある打ち合わせで、ふと、ぼくが言った。
「その問題、深く深く掘っていくと、
切りもなくわけわからないところに行きそうなので、
『浅めたら』どうでしょうね、深めずに」
ついダジャレのように口をついて出たことばなのだが、
言ったぼく自身、かなり気に入ってしまった。
問題を、「浅める」ということを、意識的にやろう。

どれだけたくさんの「先輩」たちが、
どれだけたくさん言ってきたことだろうか。
曰く「失敗を怖れるな」。

じぶんも、どれだけ言われてきたかわからない。
さらに、他の人に向けて、どれだけ言ってきたことか。
とにかく、ぼくは失敗があっていいのだ、というか、
失敗するのが当たり前なのだという「理」を、
なんとか身に沁みこませたいという願望がある。

そして、その奥にある「情」としては、やっぱり、
失敗を怖れるところから逃げられてないという気がする。
失敗して、それほどよくよくよしたことはない。
そこから出発しなおせるのなら、
そのほうがよかったということも言える。

他の人がやった失敗についても、
ぼくの記憶では、そんなに責めたりしたことはない。

それでも、実は、失敗しないようにと願いながら、
「失敗を怖れない」とか言い続けている。
これが、なんとなく、ブレーキを踏みながら
アクセルを踏んでいるような気分なのである。
ほんとうに失敗が当たり前で、いいことなのだったら、
「失敗をしにいく」ことだってやるべきだろう。

もっと、失敗を「ともだちのひとり」として、
親しく付き合っていったほうがいいんだよ、ほんとに。
そうしてるつもりなんだけど、できてないんだよねー。

ぼくを育ててくれた失敗の数々に、感謝できますように。

負けのなかで、じぶんたちの力量が発揮できたこと。
負けたけれど、相手を怖がらせたこと。
かつて苦手だった相手に善戦できたこと。
予定してなかった選手が活躍できたこと。
ほんの1度の失敗がなければ、あとは勝っていたこと。
そして、なによりも、頭のなかが白紙になることなく、
どうすればいいのか必死で考えてやったこと。

というようなことが、ちょっとでもあったら、
その事実は尊重するに値すると思うのです。
負けは大きな経験の一部分ですし、
少しだけ階段を上ったある日なのです。

点のとり方を、たくさん持っているチームは強い。
点をとるための、ありとあらゆる可能性を知っていて、
それぞれの場合に対応できるチームは、
勝ちを引き寄せる力をよりたくさん持っているわけだ。
優勢に進んでいるときはもちろん、
たとえ劣勢なときでも地味だったり意外だったりする
得点の入れ方を探れるはずだ。
だから、選手たちも、応援する観客も、
勝てる可能性を見つめながら戦いができる。
その意識があるから、また、勝ちやすくなる。

ぼくは、取材を受ける機会が多いので、
他の人からぼくの取り柄を言ってもらえることがある。

まことにそれはありがたいことなのだが、

「たぶん、そんなことないんだよ」

と言いたいようなことも大いに混じる。

ほんとのことを言えば、ちょっとは残念なのだけれど、
たとえば、ぼくは「コピーの神さま」でもないし、
「ことばの達人」などというものでもない。
ほんとにそうだったら、どんだけありがたいことか
とも思うけれど、事実としてぜんぜんそんなことはない。
そのくらいは、じぶんでもわかるんだよ、
神さまでも達人でもない身としてもね。
たぶん、「ヘタなりに得意」になろうと
ジタバタしてきた人間なんだろうね。

じゃぁ、なにか取り柄はあるんだろうかと、
それなりにじぶんでも考えてきたよ。
そして、このごろになって、ちょっと
「これは取り柄かもしれない」と
思い当たることが見つかったんだよね。
ぼくの取り柄は、あらゆる人（人間でなくても）から、
「それはいいな」ということを見つけて感心できること。
先輩でも先生でも、同僚や仲間でも、青年や子どもでも、
ときには赤ん坊や犬や猫でも、もしかしたら虫でも、
「いいなぁ」と思うことを見つけたら、
それを本気でリスペクトできる。
これは人並み以上ではないかという自負もある。
悔しいから言わないけど、嫌いな人間からでも、
「たいしたもんだなぁ」と学ぶし、感心もしてるよ。
よっぽど自我が薄い、ということかもしれないけどね。

なによりまず、「やさしく」からはじまる。
他の人が「愛」と呼んでいるのと同じようなことだ。
そして、「つよく」がそれを支える。
「よわさ」のままで、ほんとうになにかするのは、
ちょっと難しすぎるだろう。
約束は、つよくないとなかなか守れない。
そして「おもしろく」は、最後にくるのだけれど、
腹の皮がよじれるほど笑う、というようなことではない。
ふつうにしていて、しかも「おもしろい」のがいい。

このところのぼくは、ラーメンを食べに行くせいで、
神田、水道橋あたりを歩くことが多くなった。
そこで自然に思うようになったのは、
地元の人の居場所、商いの場所があって、
同時に他所から来た人の居場所があるのは、
いい町の特長なんじゃないかな、ということだった。
その例を神田という町に感じているのだった。
そこからさらに、京都もそういうところがあるなとか、
バリ島なんかも、地元と観光客の両方の居場所があるな、
なんてことを考え続けている。
町っておもしろいものだなぁ、
会社の引っ越しがあるときには、

神田とかも候補になるんじゃないかなぁ、なんてね。

スカイダイビングでいえば、もう空中に飛び出している。
はじまる直前までのじりじりした悩みは、もう、ない。
だってもう、空を飛んでいるのだから、わははは。
「なんとかなるだろう、この人たちなら」という
魔法のことばを言い続けて、ついに今日になりましたよ。
さんざんムダな心配をしたものだなぁ、オレよ。
いろいろ「そつ」のあることだらけではあろうが、
笑おうじゃないの、謝ったりもしながらさ。
おめでとう、わたしたち！

お客さまの
マナーがいいので、
混雑やら、
列の並びやら
見事です。
にぎわいは、
すごいです。

世の中の人が考えているより、ずっと、
社員研修旅行というのは、会社にとって大事な活動です。
他の会社のことはわかりませんし、
「ほぼ日」が、こんなふうな会社じゃなかったら、
またちがった考えになったと思いますが、
いまここに生きている「ほぼ日」にとっては、
社員研修旅行を含め、大勢で同じ環境に飛び込むのは、
チームの「身体性」を高めてくれる
とても大事な活動（仕事とも言える）なのです。

空と海と緑と風をぼんやり眺めていて思った。
「思い切り夢のようなホテルを考えてごらん。
　なんでも実現してあげるから」と、
ランプの中から出てくる魔法使いが言ってくれたとして、
ぼくは、たいしたことは思いつかないなぁと。
つまり、ぼくの想像するすばらしいホテルは、
ここに現実にあるホテルよりも、
ずっとたいしたことないものなんだなぁ、と。
現実と夢では、夢のほうがいいに決まってると、
ぼくらは無意識で考えがちだけれど、
逆のケースだっていくらでもあるというわけだ。
ぼくは、いま味わっているこの現実のほうが、
ぼくの描きそうな夢の想像図よりも、ずっと好きだなぁ。

7月11日になったばかりの深夜に、
この原稿を書きはじめたのだけれど、
ちょっと書いては天井を見上げ、またちょっと書いては
同じ時間に英国でやっているテニスの試合をながめて、
そのまま、だんだん眠くなってきた。
京都のホテルにいる。

夕方、ご家族のところに本を届けてきた。
まだ見本なので、ご家族のぶん三冊、それしかない。
4年前のあの日からずいぶん時間も経ったようで、
遅すぎるんじゃないかと思った人もいるだろうが、
そんなふうに言われそうないまだからこそ、
平熱の『岩田さん』が出せるようにも思う。

ご家族と話していて、あらためてそう思えた。
そのあたりの感じをあんまり書く気持ちになれないが、
4年の時間があったけれど、とにかく、岩田さんは、
ぜんぜん忘れられてなんかいなかった。
社会面や経済面のニュースとしてではなく、
ぼくたちの大好きなある人の本として、
いまなら、静かに手にとってもらえるという気がする。

いま、いまさらだけど、
あのときよりもさみしいのは、
じぶんと、55歳の彼との年齢の差が開いたことかな。
いや、そんなこと、どうでもいいや。
いっしょのリズムで生きてきた気もするもんね。

ブイヨン、元気かい？
この世にいなくなってる犬に、
「元気かい」はないのかもしれないけど、
そう思うんだから、そう言うことにするよ。

おなじように、「なにしてる？」とか、
「みんなとなかよくできてる？」とかも、
聞いてみたいことだね。

あれから1年たったね。
おとうさんも、1年分、年をとったよ。
なんか、足がおそくなったような気がしてます。

老犬になってからのゆるゆる散歩が、
ちょうどよくなってるのかもしれないね。

ブイヨンが行ってから、半年過ぎたころに、
おかあさんが、よく似た仔犬を見つけてさ。
さんざん思案したけれど、おたがい
「そっちがいいなら」とか言いあって、
うちにくることになってさ、8月21日からいる。
たぶん、空から見ていて知ってるんだろうね。
性格はずいぶんちがうんだけれど、
いろんなことが似ていたりもする、いいこだよ。

仔犬のころのブイヨンと、どう過ごしていたのか。
おさらいして育てようと思っていたんだけど、
2歳くらいまでの写真が、ほとんどないんだよね。
たくさん見ていたり遊んだりしていたはずなのに、
やんちゃ時代の記憶が飛んでいるんだ、ふたりとも。
仔犬時代って、犬も人も必死でどたばたしていて、
毎日、忘れていくものなのかなぁ、とても謎だよ。
年をとってからのブイヨンとの思い出のほうが、
もしかしたらたくさん記憶しているな。

「かなしい」ということばを使わないようにして、
この1年を過ごしてきたけど、いまごろになって、
「かなしい」も言えるようになったな。
いいこだったもんね、かわいかったもんね、
ブイヨン。
あんまり興味ないかもしれないけど、お花とね、
うれしそうに食べたカステラを買ってくるね。

「ゴッホ展」の帰りに
桜が咲いてるのを
見つけた。

作ってみた。

ふーん、ぶいこっていうの。
そうなの？
ブイコっていう名前なの？
1歳と4ヶ月だって。
ブイヨンとは親子なの？
そういうわけじゃないのか。
耳がぴょーんと
立ってないものね。
ま、かわいがって
もらいなさいね。

窮鼠猫を噛む

劣勢の戦いをしているときには、窮鼠になれ。
逃げることができなくなったら、命を懸けて噛みつく。
そして、優勢の戦さをしているときには、
絶対に、相手を窮鼠にしてはいけない、
死ぬ気で噛んでくる鼠に、猫は勝てない。
少しの逃げ道を空けておいて、そこから出てもらう。
追い詰めすぎてはいけないのである。

逆に「豊鼠猫を養う」ってどう?
意味は勝手に考えてみて。

枯れ木も山のにぎわい

ぼくは、年齢が高くなってから、
「枯れ木も山のにぎわい」ということばが好きである。
「にぎわい」を感じさせるようなものなら、
「枯れ木」であろうが「野猿」であろうが、
みんないいもんだと感じることが多い。
なにかが存在しているというだけで、すばらしい。
それは、その山が生きて息をしているということだ。
山が、街だとしても、島やら国やら、惑星だとしても、
なにかがいる、なにかがあるとわかるのは、
その場の「生」の可能性をあらわしていると思える。

水清ければ魚棲まず

「清からず」の状態の水というのは、
プランクトンからはじまって小エビや小魚、藻、水草、
エビや小魚を食べる魚という具合に、
水に「生態系」ができているんじゃないかなぁ。
つまり「水清ければ、命少し」ということか。
ま、逆に微生物が繁殖し過ぎると、
「生きもののいのち」のバランスが崩れるのですが、
それはつまり「濁りすぎ」ということですよね。

かわいい子には旅をさせろ

だれかの指令によって動いているのでは、
ほんとうにいちばんその場にあった答えにはならない。
じぶんの頭で考えて、次の瞬間になにをすればいいのか、
判断して動き出さないとこの旅はたのしめないのです。
すぐにじぶんで手足を動かすということも、
方法や道具を探し出すことも、仲間の手を借りることも、
あらためて指示を求めることも、じょうずに休むことも、
すべて、じぶんの頭を経過したことです。
旅とは、ひっきりなしに起こる「新しい場面」です。

良薬は口に苦し

「苦い＝良薬」、そして「苦くない＝良くない薬」と
思い込んでしまいやすいです。
そんなことはないだろうよ、と。
苦くても効きもしない薬はいくらでもあるし、
かえって毒になることだってあるんだよ、と。
「口の悪い人に悪人はいない」とかも同じでしょう。
「苦労をすれば、きっとその経験が身になる」
というのも「良薬は口に苦し」と同じですよね。
苦労がよく出ることもあるし、悪く出ることもある。
でも、苦いほう苦しいほう痛いほうの先に、
ついつい夢の国があるかのように思わされちゃう。

焼け石に水

解決したい問題がそこにあるとき、
たいていの場合は、すでに「焼け石に水」です。
事実、目の前に差し出されているのは、
ほぼ絶対と言っていいほど「焼け石」状態になってます。
「こうすればいいじゃないの」なんて、
笑って解決できるようなことだったら、
そもそも問題になってないからねー。
つまり、このことばが聞こえてきたら、
もう……ある意味で絶望的な状況っていうこと？
「焼け石に水」なんてだめじゃん、
もっと他の方法を考えられないのかよ、ということを、
「焼け石に水」ということばは語っているのです。

失敗は成功のもと

ほんとうに「失敗は成功のもと」ということを、
ほんとうにほんとうに信じているのなら、
失敗をすればするほど成功に近づくのだから、
失敗することがわかっていて、あえて失敗することでも、
やってもいいのではないでしょうか。たまにでいいからさ。
ぼく自身、ほんとうに失敗は役に立つので、
その経験は財産の一部だという認識があります。
どういうことかというと、
「失敗のなかには、成功と失敗が混じっている」から。
ぜんぶ、なにもかも、まるまる失敗というのはなくて、
結果的に失敗したもののなかに、

次のなにかにつながるような道や関係ができていたり、
途中までのところに発見があったり、
再びそれを続けるための実力（技量）がついていたり、
けっこう、求めようとしても得にくいような
「いいこと」が入っているのです。
この「失敗で得たもの」を持っている人やチームと、
そういうものを持っていない新しい人たちとでは、
その先ののぼるべき道のりがまったくちがいます。
「失敗は成功のもと」を根源的に言い換えると、
「成功は失敗のひとつ」ということかもしれません。
10の失敗のなかに、1つ「成功」と呼ばれる失敗がある。
その1つが、めしのタネなんですよねぇ。
失敗できる豊かさを運よく持ちあわせるために失敗しよう。

実るほど頭を垂れる稲穂かな

ほんとうは、学問や徳が深まったからといって、
ふんぞり返ったり威張ったりすることでもないし、
ことさらに謙虚になる必要だってない。
ふつうにしていられたら、それでいいのだと思う。
しかし、このことわざでは、平らのままではなく、
頭を下げているようにということを教えているのだ。
「人より低いものとして在りなさい」というわけだ。
どうしてか？
答えは「そのほうが、うまく行くから」であろう。
実るほど、頭を下げているほうが、みんなによろしいと、
そういうことを伝えているように思う。
自然にしている以上に謙虚にしていて、ちょうどいい。
そのほうが余計に人のこころを乱さないし、傷つけない。

目は口ほどに物を言う

目は、自らのこころを覗き見られている
「窓」なのである。
そして、口で語られたことば「ほどに」、
そこから読み取られている情報は大きいよ、と。
ぼくとしては、「口ほどに」では足りないくらいで、
ほんとうは「目は口よりも物を言う」
と言ってもいいようにも思うようになった。
口からことばとして出てくる意味などは、
やっぱり二次的な駆け引きの道具にしか過ぎない。
口を磨くよりも、
目から読み取られるこころのほうを、
美しいものにしておきたい…
などとことばで言ってみた。

灯台下暗し

近い所、じぶんの足元にあることは気づきにくいが、
逆に、いい考えというのは、
そこから見つけ出せるものなんじゃないかと思った。
「灯台を、海から見る」というのはどうだろう。
いつも灯台の下にいる人が、船を出してさ、
暗い海のほうから灯台を見てみたら、
きっとなにか新しいことに気づくんじゃないかな。
ちなみに、ここで言う灯台というのは、
「油の入った皿に芯を浸して火を灯す昔の燭台」だって。
知らなかったなぁ。でも、海の灯台のほうが、燭台よりも、
「下暗し」に合ってるような気がするけどなぁ。
「昼間に灯台（燭台）を見つめる」というのも、あるか。

犬も歩けば棒にあたる

もともとは、
犬でもうろうろ歩いていると棒で叩かれるぞ、
という意味だったそうだ。えーっ、知らなかったぁ。
じゃ、歩いてちゃダメだっていうことじゃん。
まったく反対の意味だと思ってたよ。
つまり、犬だって歩いていればいいこともある、と。
たしかになぁ、あたるのが棒だっていうところが、
なんとなく解せないようにも思ってたんだ。
たしかになぁ、「でしゃばったらろくなことがない」
という意味だったら、

素直に棒は棒でいいんだもんな。
でも、人になにかしらの行動を促す
意味で使われる
「犬も歩けば棒にあたる」のほうが、
ずっと好きだよ。
「吠えてばかりいないで、歩きだしてごらんよ。
犬も歩けば棒にあたるっていうじゃないか」
と、こっちのほうが使い勝手もいい。
棒の正体は、もう勝手に決めるよ、
「発見と思考」だよ。

七度探して人を疑え

ぼくの耳に入ってきたことわざは、
祖母の口から出てきたものが
圧倒的に多いと思う。
「七度探して人を疑え」は、
そうやって知った、
ぼくにとってのいちばん痛いことわざである。
なにかを紛失したときに、人はよく、
だれかが盗ったのではないかと騒ぎ出す。
幼いころのぼくが、
そういうことを言ったのだった。
そういう場面で、おばあちゃんが言ったのだ。

「そういうことを言うもんじゃない。
七度探して人を疑えっていうものなんだよ」
結果は言わずともわかるようなことだった。
どこにも犯人はいなかった、
だれも盗んではいなかった。
正直に言うが、
「七度探して人を疑え」を知ってからも、
ぼくは人を疑い、
得意そうに下品な推理をしてきた。
知らない他人についても
まだそういうことをやっている。
直ったところもあるけれど、
まだ直ってはいない。

節穴の向こうの猿

箱のなかにだか、
塀の向こう側にだかわからないが、
人のまねをする猿がいるらしいという。
ちょうどいい節穴が空いているので、
そこから覗いてみると、
猿どころかなにも見えない。
穴の向こうの猿は、
こちらの人間が節穴を覗くたびに、
同じように向こうから
こっちを覗いているのである。

これは、対立関係にある敵味方が、
同じような次元の行動をとってしまっているため、
局面が変わらないままになるという意味らしい。
ほとんどの争い事には、
こういう場面がありそうだ。
……などと書いたけれど、
「節穴の向こうの猿」などということわざはない。
これは、よく言えばぼくのオリジナル、
悪くいうなら、いま考えた嘘である。
だいたい「節穴の向こうの猿」って
語呂もよくないよね。

これは、きょうの
お昼過ぎのわたし。
この展覧会、後世に
語り継がれると思うわ。
TOBICHIにてよ。

世の中には、
温泉のある会社も
あるかもしれない。

みかんがり。
みかんを採ってるみんなを、
静かに見ています。
ここに入ってるほうが安心で、
おちつくんです。
たのしいですよ、犬的にも。

こういう夜です。
ヅラかぶってもひとり。

その人のいないところで、その人のいいところを言う。
言って、聞いて、共感しあって盛りあがる。
こういう場面に、昨日、ぼくはいた。
言われている人のことも、大好きになったし、
言ってる人たちのことも、こころから好きになった。

大人でも、子どもでも、おねぇさんでもおじいさんでも、
「元気」を感じられるのは、こういうことです。
「朝ごはんがたのしみ」な毎日を過ごしている。

ぼくらは、朝めしを、たのしみにできるように、
日々を過ごすことが問われているのではないか。
なりたいなぁ、こういう元気な人に。
あなたは、どうですか、朝ごはん、たのしみですか？

動いているものは、いつか止まる。
もったいつけて言わなくても、だれでもわかることだ。
それは、人は生まれて、かならず死ぬということである。
死ぬというのは、止まるということだ。

動きは、かならず止まろうとしている。
つまりは、安定しようとしている。
そのことはあまりにも自然なことである。

新しい動き、新しい考えを採り入れると、
安定の流れから外れてしまう。
いままで安定に向かってやってきたことを、
静かに上手にやっていくほうが自然で安定的なのだ。

だから、
イノベーションだとか、

クリエイティブだとか、
アイディアだとかは、
難しい。
自然なことではないからだ。
自然でないことに、向かいたくないのが自然な人間だ。

しかし、死という安定に向かうのが自然なのに、
人は、よりよく生きようとする。
生きているという実感のある時間を過ごしたがる。
のびのびと生きたい、おもしろく生きたい、
気持ちよく生きたい、という望みを持っている。
それがあるから、イノベーションだとか、
クリエイティブだとか、アイディアを求めてしまう。

自然に流れているだけでは、人間はおもしろくないのね。
どうせ死ぬのに生まれたことには、なにかがあると思うよ。

「圧しながら引いている」という感覚が、
うまく伝えられないでいる。
指圧のことだと言えば、ちょっとわかってもらえるかな。
このまま圧したら痛く感じるかな、あるいは
もっと深く圧してほしいのかな、ということを、
人間は指で探りながら指圧をしている。
指が、圧される側の身体に相談しているんだよ。
それは、いわば「圧しながら引いている」感じなんだ。
「圧しながら引いている」という指圧の感覚は、
実際、あらゆるコミュニケーションのなかにある。
命令なり指示なりが実行されるだけじゃなくて、
「お願い」みたいなことで動くものごとがあるだろ。
ここらへん、とても重要なことだと思っているんだ。
指圧のうまい人はなにやってもうまい説、あると思うな。

嫉妬こそが、経験の代理になっているのではないか。
ぼくは、そういう仮説を語ってみた。
まったくジャンルちがいの人やら表現やらに、
ぼくらが嫉妬しているというのはおかしい。
でも、同じ平面にいちおう立ってみるからこそ、
「あんなの、悔しいなぁ」と、よその領域にまで、
こころを動かせるということだと思うのよ。
いい映画を観てがっくり落ち込むようなことが、
ぼくらのファイティングポーズにつながってると思う。

ぼくは美術の専門家でもなんでもないので、
知ったようなことは言えない。
しかし美術への敬意は持っていたいので
なんとなくの「じぶんなりの鑑賞法」を決めている。
それは、展覧会の絵画作品が、
「ふつうの、学校や会社の廊下などに
　飾られていたら、どう見えるだろうか？」を
想像してみるという方法だ。

美術館の壁面に立派な額縁付きで掛けてある絵が、
無名の場所、粗末な環境のなかで飾られていたら、
それでも、じぶんに訴えかけてくるだろうか。
あらかじめ立派なものと決めつけて見るよりも、
「これはなんだか好きだなぁ」であるとか、
「なんなんだ、これは。すごいかも」というような、
いちおうじぶんがこころに感じたものを
大事にできる。

イラスト＝和田ラヂヲ

直立二足歩行がはじまって、
人類は、「歩く看板」になった。

あまりにも、風圧がかかる。
あまりにも、攻撃されやすい。
あまりにも、不安定である。
あまりにも、目立つ。

それでも、この姿を選んでいるということは、
その姿によほどのメリットがあるのではないか。
たがいに、「正面」を大切にするような。

ぼくらはみんな「歩く看板」。
そこにはなにが書いてある？

ユニコーンが、
ほんとにいるかもしれないと思って生きている人の世界は、
そんなものはいないと思って生きている人の世界よりも、
ユニコーン分だけにぎやかである。

はじめは、「こんなの書こうかな」とかね、「こんなふうなことをしよう」とか思いついて、そのときはちょっとうれしいんだ。いわば「動機」が見つかった感じだから、「なにもない」状態に比べたら、すばらしいのだ。

で、書きはじめると、あるいはやりはじめると、最初に拾った「動機」みたいなものは、**すぐに使い終わってしまう。なんだ、たった2行ばかりの文章だったのか**、とかね。

でも、書きはじめると、あるいはやりはじめると、まぁ、道を歩きだしたみたいなことだから、それなりにあれこれと目に入ってきたりもして、なんとか書き進めることもできる。あるいは、企画は進行していくわけだ。

しかし、そこらへんからは、**思うようには進まない**。スタートのときには「できたも同然」くらいのことを思っていたのは、**ありゃなんだったのか**。立ち止まることも出てくるし、**もっとましなことを書こう**だとか、最初のところから**書き直したくなったり**もするし、ぜんぜん考えになかった「いい単語」なんかを思いついてしまったり、「いい単語」どころか、書きはじめのテーマよりも、もっとおもしろいテーマが、生まれてしまった（**ような気がした**）りもして、最初の文や、「動機」みたいなものも**ゾンザイに扱う**ようになったりもしてくる。いやいや、そうじゃない最初の「動機」はやっぱりかなりよかったぞとか思い直すこともあって、書いている内容は、いつのまにか、**当初はまったくイメージしなかったようなもの**になる。

ほとんどすべてが、このパターンなんじゃないかな。書こうと思っていたとおりに設計図なんかつくって、最初と最後が滑らかにつながっているなんてことは、**ありえない**というか、そんなのおもしろくもないでしょ。予定だとか、設計だとか、理路整然だとかは、そのまま使えるなんてことは、ありえないよねー。

じぶんの育ち方、こどもの成長、なんかもくねくねだよね。

1989年からの平成が終わりますね。
ふだん、あんまり元号で考えてないのですが、
たとえば平成元年が1989年だと知ると、
あらためて「思えば遠く来たもんだ」と思います。
ぼくは、そのころまだ40歳だったのです。
まだ40でしたが、
ずいぶんと大人ぶっていた気もします。
後輩たちに向かって
「おれもずいぶん年を取った」とか、
おそらく言っていたはずです。
平成がはじまったころって、そんな昔だったのです。

「おれもいつか死ぬわけだし」とかね、
死なないつもりでしゃべっていたことでしょう。
じぶんの手の届く範囲では、
ずいぶんと大人になったものだとか思っていたのに、
実は手の届いてない世界のほうがあまりに広くて、
「うわぁ、おれはなんにもできない」と、
青年のときとはまた違った無力感を知るのでした。
どうしたら目の前の扉が開いて、
青空が見えるのだろうか、光が射すのだろうか、
皆目わからないままに、ちょっとふざけたり、
少し自棄になったり、
半端に意地を張ったりしながら、
それなりに真剣に、それなりには真面目に、
浅い呼吸で日々を過ごしていたと思います。
1989年、そのころ発表されたコピーが
「くうねるあそぶ。」だったりしています。
そして、一作目の『MOTHER』の発売も
1989年でした。

平成元年というのは、「そういう俺」のいた年でした。
そこらあたりから、じたばたしながら、
ちょっとずつね「裸一貫」でなにができるかみたいな、
個人的な大転換を模索しはじめたように思います。
これに、約10年かかったとも言えましょう。
平成10年に「ほぼ日刊イトイ新聞」を
スタートさせます。
そして、さらに20年ほど
「平成」という時間を過ごして、
40歳だったぼくも、なんと70歳になり、
もうじき平成という舞台の緞帳が下がります。
昭和については、途中参加だったのですが、
平成の30年間は、たっぷり参加した気がします。
平成の天皇皇后は、
すばらしい方だったと思いながら、

その同時代のじぶんのことも
思い出してしまいました。
令和も、深刻にではなく、
たのしくやりたいなと思います。

これは、なんなんだろう。
おれは、いまなにをやっているんだろう。
こいつは、どこからきたんだろう。
どうして、こういう考えになったんだろう。
ここから、次の一歩をどこに踏み出せばいいのだろう。
なぜ、この人はこう言うのだろう。
もともと、これは、なんだったんだろう。
この考えは、どこらへんから行き詰まっているんだろう。
だいたい、おれはなにがしたいんだろう。
どうしたら、この人はよろこぶのだろう。
このいさかいは、どうしたら解決するのだろう。

このことは、もう動かしようがないのだろうか。

文字で、一行ずつ書いたら読み飛ばされてしまうような、
ただの疑問を並べただけの文なのですが、
思えば、こんなふうななにかしらの疑問を、
人はずっと考えているのかもしれません。

あらゆる疑問は、あんまり快適なところからは、
発生しないように思うのです。
考えざるを得ないというのは、少し悲しいことです。
また、「あはれ」みたいなことを考えてしまった。

先に笑うのは、かならず気仙沼の人たちのほうだった。
ときには、そのほんの30秒もあとに涙声になって、
目尻を濡らしていたりもするんだけどね。
あれが、姿勢というものだったんだよな。
かっこいいなと、ずっと思っている。
3月11日の午後には、冗談ばかり言っていた彼らが、
黒い服を着て集いの場に向かうことも、知っている。
「できるだけあかるくしていよう」という姿勢は、
やせがまんでも、無理しているのでもないはずだ。
たぶん「生きるにいちばんいい方法」を選んでいるのだ。
生きるにいちばんいい方法を選べることが、知的の意味だ。

「忘れない」と「忘れられない」そして「忘れないで」、
そういうことばがずっと繰り返されてきたけれど、
もう「忘れないことは忘れないよね」と、
自信を持ってしまったほうがいいのではないか。
だから、「忘れたほうがいいことは忘れよう」と、
あらためてじぶんに言い聞かせているようでした。

気仙沼での「また会おうねの会」、
つまりお別れじゃなくて「次にいつ会おうか」という会。
みんながたがいに感謝してばかりでした。
「スコップ団」の人たちが、青空応援団として
みんなのこれからへの応援をしてくれました。
胸に気持ちよく突き刺さるような応援でした。
誰にも彼にも、ありがとうを言いたくてたまらない。
そういえば、今日はずっとこんな感じだったなぁ。
朝、気仙沼の人たちがプレゼントしてくれた
『三陸新報』の全面広告を読んだときから、
涙腺が壊れてしまったのか、お礼を言ったり言われたり、
笑ったりさみしがったり、よく泣いた一日でした。

ほんとに、気仙沼の人たちからは、学ぶことばかりでした。
震災の年、遠くからやってきた他人のぼくらに、
ほんとうに心から付き合ってくれたんですよね。
上も下も右も左も斜めもなく、まっ平らに、
真剣に遊んでくれたと思っています。
たがいに、8年分くらいは大人になれたのかな。
悲しみからはじまったことなのですが、
いま、それ以上のよろこびが育っているよね。

ありがとう、また、またね！

さぁて、
あたしは気仙沼に向かいます。

昨日、気仙沼から大島につながった「鶴亀大橋」を渡ったんだ。そして、いちばん高い「亀山」に登って、てっぺんから360度ぐるりのすんばらしい景色を見たよ。行ってよかったなーーと、いまになってもまだ思ってるよ。

「おれも、がんばろう」と思うようになった。
冬の朝、鼻につんとくるような寒さのなかで、
思い切り息を吸い込んだような感覚がある。

「がんばる」は、「たのしく」とだって両立する。
そういう経験も、たくさんしてきた。
「がんばる」の反対語は、「あきらめる」かもしれない。
他人ががんばってるのは好きなのだから、
じぶんもだよね。

じぶんの人生、じぶんの時間を、どう使いたいのか。
つまり、どういうことを大事にして生きたいのか。
人間の生きる時間が、生きたい時間でありたい。

あの時代の戦争で、
それぞれの国がやろうとしていたことは、
いまの時代には、無駄や無理が多すぎるものになった。
そう書くと、あれこれ言われるのかもしれないが、
いま経済や政治の交渉でやっていることが、
これまでの時代の戦争に求められていたことだ。
むろん、壊したり殺したりの戦争は無くなってはないが、
この先、もっと少なくなっていくだろうとは思う。
おそらく、軍靴の響きはもう聞こえないだろう。
軍靴を履いて歩いて出かけていく場所がない。
もっと人間の数をかけずに、効率のよい兵器が、
キャンペーンのように脅迫の主役になるだろうし、
そして事実上の戦さは、経済戦争のようなかたちになる。

人が、二度と起こしてはならないと思う戦争は、
昔のとおりの景色ではないのだ。
昔の悲惨さや暴力とはちがうかたちになるとしたら、
なにをどう防ぐのか、なにをどう守るのかについても、
もっと別の考え方をしていかねばならないだろう。
国と国という衝突でないことだって考えられるし、
手間のかかる暴力は、要らないかもしれないのだ。

映画やドラマで描かれている戦争は、
そのときに、だれも止められなかった戦争だ。

〈まず、いまなにが大事で、なにを失いたくないか、
それをじぶんの頭で考えるのが戦争反対だ。〉

コンビニの前に子犬を抱いた男の子が座っていました。
男の子は犬を外に置いて店に入りたくなかったのでしょう。
クンクン鼻を鳴らす子犬を抱えて、
親が出てくるのをじっと待っています。
子犬はまだわかっていませんが、
ふたりはやがて親友になるのです。

イラスト＝福田利之

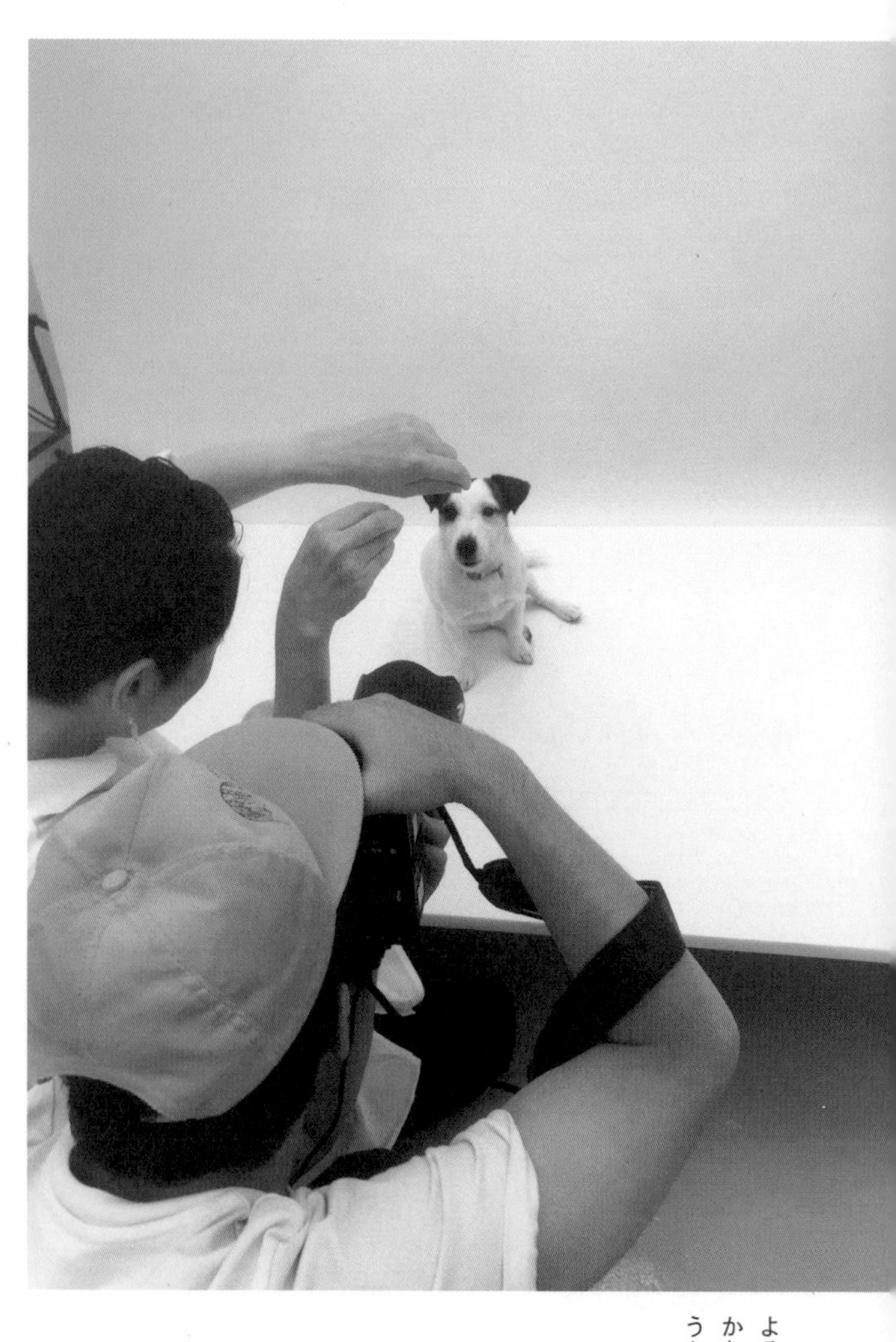

よその子ながら、
かわいいですぅ！
うちの子も、もちろんッ。

のび太と恐竜と
大冒険するオレ。

今年のワールドカップを前にして、
ラグビーの好きな人たちが盛りあがっている。
ラグビーというのは、脳も神経ももちろん含めての、
まさしく全身をフルに使っての競技なので
(おっと、他のスポーツもそうなんだけどね)、
いろんな話を聞かせてもらうだけでも、
かなりおもしろいし、新しい興味にわくわくできる。
一生に一度の日本開催のワールドカップを、
そのまま見逃すのはもったいな過ぎる。
というわけで「NIWAKAラグビーファン」という立場で、
秋をたのしみにしている。

夢のようだけど、夢でも奇跡でもなかった。
どっちもすばらしいタックルをしていたし、
どちらのスクラムも負けてなかったし、
試合の主導権はくるくると風に舞うように動いていた。
どっちも強いし、どっちも真剣で全力を出していた。
番狂わせかもしれないが、まぐれや奇跡じゃなかったよ。
「ニワカ」なりにラグビー観てて、ほんとによかった。
勇気のあるタックルもたくさん観た。胸に響いたなぁ。

戦いというと、他の考えもなく、
「敵を憎む」ということになってしまうのは、
かなり遅れた思考なんだろうなぁと思う。

「敵」と決めたとたんに、もう、
「だから憎むべきである」と決めてしまい、
「敵にはなにをしてもいい」となってしまうこと。
ここから、抜け出すような考えを、
ぼくらはたしかに、あんまり教わらないできた。

もしかしたら、いずれ、人間の社会が、
もっとましなものになっていたとしたら、

まず、「敵」は憎むものとはかぎらないということが、
わりと常識のようになっているかもしれない。
いま言うと、甘っちょろい非常識かもしれないけれど、
少なくとも「そういうことはあるよ」くらいのことは、
人がふつうに考える時代はくるような気がしている。

いま、ラグビーワールドカップの試合が、
あんなにもおもしろく感じられているひとつの理由は、
「敵」は憎む相手ではないということが、
試合から、よく伝わってくるからだと思うのだ。
社会をそのまま反映させたスポーツではなくても、
「人のひとつの理想」を見せ合う競技なのだとは思う。

いまとなっては、あらためて過去のじぶんをほめたい。
よくこの夜の「日本対サモア戦」の切符を買ったものだ。
切符を買ったときには、この「日本対サモア」の試合が、
どういう意味を持つことになるのか、
まったく見当もつかなかったのだった。
しかし、いまとなっては、みんなが知っている。

人は、毎日の暮らしを続けているなかで、
意識的に転ぶということはしていない。
スポーツの場面などでも、
たとえば相撲などの競技では、
転んだらそれだけで負けである。
陸上の競技でも転んだらもう致命的な不利になる。
しかしまぁ、ラグビーの試合を観ていると、
選手たちが、転ぶ転ぶ、転ばせる転ばせる、
当たり前のように100キロもある身体を
地面に叩きつけているのだ。
しかも、走っている状態から体当たりされて、
急に転んだり転ばされたりしている。
そんなことを平然とやっているのである。
なんじゃろう、あの人たちは?!
それを、80分の間ずっと繰りかえしているんだもの。
あらためてラグビー選手たちのことを尊敬したよ。
巨体を倒しまくり転がしまくるラグビーは、異次元だ。

到着。着席。

はじまるぞー！

いま、ラグビーをこれまで以上に真剣に観ているぼくは、
もう、数ヶ月前のころみたいに
スクラムハーフの田中史朗選手のことを、
「たまご泥棒」なんて呼べなくなっている。
だけど、あのころの「たまご泥棒」という見え方は、
正解じゃないけどやっぱり新鮮なので、
忘れちゃって消えちゃったらもったいなかった。

人間って、なにかが上達したり、
それをたやすくできるようになると、
うまくできなかったときのことを忘れちゃうものだから、
後から入ってくる人の気持ちがわからなくなるんだよね。
それで、初心者をちょっと下に見たり、
仲間に入れないように壁をつくったりするものなんだ。
だから、「初心者とか新米とかが居心地のいい場所」を

つくったらうまくいくんじゃないかと思ったんだ。
それで、ラグビーの世界に、「ニワカ」のファンが堂々といられる環境をつくろうよ、と言ったんだよね。「NIWAKA DE GOMEN」のTシャツとかつくったのも、そういうつもりがあったんだ。

で、今回は、それがいい感じでうまくいった気がする。
「ニワカが増えていやだねぇ」とか聞こえてこないもの。
「ニワカを、感謝して歓迎する」という迎え側と、
「ニワカですけど、すいません」という謙遜の参入側の、
双方に「敬意」があったので、うまくいったのだと思う。

生まれたとたんに詳しい人なんて、ひとりもいない。
赤ん坊の産声は「ニワカです、よろしく」の挨拶だよね。

世界の頂点を戦ってきた南アフリカの、
本気はものすごいものだった。
悔しい気持ちは当然のようにあるけれど、
今回ここで力尽きたということだった、そういうことだ。
日本のチームはまったくもって立派な8強である。
ぼくの勝負の赤パンツも、古くなって効き目が切れたか。
新しいのを買い直したよ、日本シリーズのこともあるし。

この世界的な大会のために、
遠く近くの外国からたくさんの旅行者が訪れた。
「おじぎ」や「国歌を歌ってくれる応援」、
「さまざまな日本の料理」「散髪」「シャワートイレ」
「治安のよさ」などなどを、おぼえていってくれた。
こういうことも、たいした交流だったと思うんだよね。
しかも、大きな都市の人びとだけではなくて、
東北の釜石を含む全国12会場で、人と人とが出会った。
みんなが言ってるような普通のことを言ってるけれど、
こころからそう思っているのだからしょうがない。
「いい交流」をすることは、力や金だけじゃできない。
人が、人とふれあったり助けあったり、
ときには戦いあったりして編んでいくものなんだよね。
そういうことが、「あるんだよなぁ」と、
感じられただけでもとても豊かなものが蓄えられたよ。

Heineken
STEWARD

OPEN
2F

MARUNOUCHI
RUGBY
PARK

RUGBY
NIWAKA
DE
GOMEN

ほんとうは、
あらゆることに勇気が含まれている。
なにかをするときには、いつでも、失敗したり、
まちがいに結びつく可能性がある。

投手はその球を、どうして投げられたのだろう。
打者は、来たその球を、
どうして振ったのだろう。
どちらも、うまくいくとはかぎらないことを、
している。

短距離走の選手の、走るその一歩一歩も、
格闘技の選手の攻撃の一撃も、
それを受けるガードも、
サッカー選手のひとつひとつのキックも、
走りも、まるで勇気の連続のように見える。

試験問題に書き込まれた答えも、
病気かもしれないと病院に行く人の足取りも、
好きな人に好きな気持ちを告げる人のその声も、
初めて握ろうとする手も、

愛をほのめかした手紙も、
みんなみんな勇気というものが込められている。

赤ん坊が、ほとんど転ぶとわかっているように
たよりない筋肉の脚で立とうとすること。
母乳でないなにかを、口に入れて飲み込むこと。
自然な呼吸を止めてまで、ことばを発すること。
家族と離れて保育園やら幼稚園で過ごすこと。
こういうことすべてのなかに、
勇気の成分がある。

ぼくが、こうして一文字ずつタイピングして、
人の目に触れることばを表していることにも、
ほんとうはかけらほどでも、勇気が必要である。

大なり小なりの勇気、強い勇気、弱い勇気、
進む勇気、耐える勇気、逃げる勇気、
すべての勇気に、
ぼくは勇気を持っていいぞと言おう。

ボクシングを観戦するシロウトでもあるぼくにも、
井上尚弥がどれだけ怪物なのかがよくわかった。
それでも、とすぐに思ったことが、テーマだ。

永遠には勝たない、ずっと強いままではいられない。
長い間、永遠であるかのように強さを発揮しても、
少し弱くなる時が来て、だいぶん弱くなっていく。
春が夏になって、やがて秋を迎え冬になることが、
逃げることもできない自然な流れなのだと知る。
人は生まれて、いろいろあって、老いて死ぬ。
いいも悪いもなく、怪物と呼ばれる人間でも同じだ。

「あはれ」という概念は、ほんとうに見事である。
スポーツの場合は引退という死を迎えて、再び生きるのか。

村田諒太の魂の一戦のことが、まだ胸にある。
感極まって泣いたのだけれど、
殴り合いを見て、どうして泣けるのかうまく言えない。
人間同士が相手を殴り続けて倒そうとする。
とても野蛮で暴力的なこととして訴えられたら、
百年後には無くなっているかもしれないスポーツなのに、
ぼくらは「人のなにか偉大なもの」に触れたかのように、
心を震わせて涙を流したりしてしまう。
うまく説明できなくても、そういうことがあるんだよね。

矢沢永吉の特徴的なことばのなかで、
昔からぼくが気になっていたのは、
「金の金じゃないのよ」ということばだった。
つまり、いわゆる「金（かね）」についてくる意味とは、
もっとちがう「金（かね）」のことを俺は言ってるんだ、
ということを表現することばだった。

世間は、金といったら貨幣や紙幣のことしか考えない。
しかし、「金」とは、もっと多義的なものだろう。
力そのものでもあるし、夢や希望の乗る船でもあるし、
人を狂わせる魔物でもあり、人生ゲームの賞品でもある、
飢えた人にとっては腹を満たすパンそのものでもある。

矢沢が「金がほしい」と言ったときの金とは、
そういうものを味方にしたいという願いに近いものだ。
「金の金じゃない」は、かっこつけて言えば、
金についての彼の哲学が言わせたセリフだった。

矢沢永吉は、いまじゃなくて、若くてギラギラして
「金がほしい」と言ってる時代から、
「金の金じゃないのよ」とずっと言っていた。
金ばかりではなく、愛だとか、やさしさだとか、
絆だとか、正しさだとか、ひとつだけの意味で
ぶんぶん振り回せることばが世にはあふれているけどさ。
愛の愛じゃないのよ、やさしさのやさしさじゃないのよ。

あらためて矢野顕子すげぇなぁと思う。

ふつうは、年齢や経験を重ねると、

「磨き抜かれた円熟味」という方向に行きがちなのだが、

どうもこの人は、そうじゃない。

じぶんの頭部に点いている好奇心というサーチライトが、

自らの歩むべき方向を照らしていて、

新しいそっち側に向かって進み続けている。

それが前でも後ろでも、右でも左でも斜めでも、

「あっちにおもしろそうなことがある」と思ったほうに、

ずんずんと、真剣に進んでいくのである。

和田誠さんとは生前

「おれたちは、おたがいが死んだときとかに

コメント出したりするのやめような」と何度も話したので、

これをもってコメントとします。

こんげつは。

かぼちゃがいっぱい出てくる月。
近所の花屋さんでも、
ものすごくはりきってて、
いっぱいかぼちゃが並んでます。

TOBICHIで「暗闇の俳優」を見てきたよ。

写真＝池田晶紀

しょっちゅうにならないように、
気をつけながらも、
娘の娘のことを書きたくなる。

孫の顔が見たいと盛んに言う人もいるけれど、
ぼくは、そんなことはひとつも思っていなかった。
なのに、こんなおもしろい人に会えて、とてもうれしい。

最近、赤ん坊を見る機会が多いものだから、
生まれて間もない人が笑うようすをよく見る。
こころになにが有ってのことなのかはわからないが、
彼女は、ほんとうによく笑うのである。
笑うことによって、人を惹き付けるという意味では、
泣いて叫ぶこと以上に、その効果は高い。
赤ん坊の笑むのを見て、大人たちが笑むことになる。
ことばのひとつも知ってはいない人間が、
笑うということだけで、ずいぶんの大仕事をしている。
赤ん坊よ、そのままでいいぞ、大人になっても笑え。
笑むことを止めるな、笑んであなたのこころを見せろ。
そう願いながら、ぼくも笑みたくて、彼女を見ている。

世の中には、娘や嫁に「孫をはやく」となにかにつけて催促をするような、繁殖神のような親がいるということなのですが、ぼくは、もちろんそういうものではなく、「生まれなくてもかまわない」、もし生まれたとしたら、「ああ、生まれたか、おめでとう」というくらいのライトな感覚でいた男なのであります。「なんでこんなにかわいいのかよ」などという歌を、歌いたいとも思わずに生きてきました。

それでも、いざ生まれるとなるとうれしいわけで、「今日が予定日です」という日には、どうしてやろう、ああしてやろうこうしてやろうと、結局なにをしていいかわからなくなったのでありました。家人は、女性どうしということもあって、「なんかできることがあるのではないか」と、出産の前から、参院ではなく、山陰でもなく、産院に行っておりました。

ぼくは、生まれてから行くことになっていたので、家で寝ておりましたが、どういうお祝いをするか、ずっと考えていたのです。そして、もう、予定日のひと月も前から計画していたことがあったのでした。

それは、「生まれておめでとう」の花束ではなく、風船をたくさん持ってはじめての対面をしようと、そういうことでした。

何時ごろに行く、という連絡だけを入れて、ぼくは行きましたよ、ディズニーランドに。さっき母になったばかりの娘が大好きだった夢の国まで、クルマを走らせて、けっこう遠い駐車場で降りて、チケットを買い、あの大通りにいる風船売りのおねえさんのところに一目散です。いくつもの風船を買い、風に飛ばされないようにゆっくりと夢の国を出て、また駐車場まで戻ります。おそらく、あの日のディズニーランドの、最短時間でお帰りのゲストだったことでしょう。たくさんの風船を持って電車に乗るのは無理なので、クルマでないと、この計画は実現できなかったのです。そこから、生まれたての赤ん坊に会うまでに、小一時間くらいだったでしょうか。産院の彼女たちのための部屋は、大きな風船がゆらゆらする祭りのような場になりました。

平成の終わりかけのころから、ぼくは、孫持ちになりました。こどもができておとうさんになるというのは、ある種の決意やら覚悟やらと共にあるのですが、こどもにこどもができて、おじいさんになるのは、予定もしていなかったことですし、お願いしたことでもなかったので、唐突に「おじいさん」と呼ばれるのは不本意であると、けっこうまじめに、そう思っていました。

もともと、ぼくは娘の夫婦に「孫の顔がみたいよ」などと言ってはおりません。できたらできたで、よかったおめでとうと思うけれど、できなくてもかまわないし、なるようになればいい、と、そういう感じでいたのでした。で、「実際にこどもにこどもができたら、さぞかしかわいがるであろう」とか言われても、ピンときてなかったというのも本当でした。だから、急に「おじいさん」とか呼ばれるのは、なんかこう、「そんな勝手な！」と思っていたわけです。

しかし、「おじいさん」と呼ばれるのがいやだと言って、じゃぁ、なんならいいんだという代案もないわけです。ぼくの名前はシゲサトなので、「しげちゃん」？ 幼いこどもが、「しげちゃん」と呼んでいるようすは、あんまり想像もできませんでした。もっと、軽くでいいので親しみだけでなく敬愛のような心持ちを含んだ呼び方もあるのではないか。赤ん坊の父親は、「おとうさん」か「パパ」か、たぶんどちらかで呼ば

せるだろうから、余ったほうをもらえないものか。そんなことも思ってはみたのですが、もともとの、ほんとうはどう呼ばれたいのだというところが、定まっていないので、どうも違和感があります。

考えに考えたのですが、おとうさんやパパよりも、リアルじゃなくて、やや敬愛の情も感じられる呼び方ということで、「おとっつぁん」というのはどうだろう、と。そういう提案をすることになったのでありました。周囲のだれも、特に反対はしてませんでした。「おとっつぁん……発音がむつかしいかなぁ」と、その程度の異論もありましたが、まぁ、それでいいか、という感じでいったんは収まりました。

でも、ちょっと脳裡をよぎるのは、この赤ん坊が、「おとっつぁん」と、ちゃんと言えるようになるまでの間は、「おとと」とか「おっちゃん」とか、こちらの意図に合わない感じで呼ばれてしまうのではないか。そしてさらに、そのことで赤ん坊を責められない。「おとっつぁん」は、ちょっと無理なのかなぁ。そうかといって、「じいじ」だの、「おじいちゃん」だので、妥協するのもなぁ……。なかなか苦しい思案が続くことになりました。

もっと、なんか、あるだろうが、ほれ……。などとぐずぐずしているうちに、娘の娘、つまり孫という赤ん坊のことが、だんだんと愛おしく思えてきたのでした。そして、その孫という

赤ん坊も愛おしいのだけれど、その両親である娘夫婦のことも、えらいものだ、とか、いいぞいいぞとか、だんだんと、これまでよりもかわいく思えてきたのでありました。赤ん坊もかわいいけれど、娘もかわいい、娘のダンナもかわいいぞ。つまり、みんなかわいいじゃあーりませーんか。

「おじいちゃん」と呼ばれることを不本意だと思っていたぼくの、連れ合いである家人は、どう思っているのだろうと訊いてみたが、「わたしは、おばあちゃんで、ぜんぜんかまわない」と、はじめから方針はまったく変わっていないらしい。そうか、そういうつもりなのか。では、きっと「おばあちゃん」で安定するのだろうな。となると、おとっつぁんとおばあちゃんじゃ、あんまりバランスがよくないかもしれないな……。

しかし、ここに思わぬ事件が起こるのであった。ぼくはNHKの朝ドラ「なつぞら」のファンである。このドラマ、登場人物がみんないい人たちだ。敵とか悪人とか、ずるい人だとかを出さなくても、こんなふうにドラマはできるのだと、あらためて感心してもいる。その「なつぞら」のなかでも、いまのところ、いちばんの見せ場をつくってくれているのが、草刈正雄さん演じる「おじいちゃん」なのである。そう、「おじいちゃん」だ。ぼくが、そう呼ばれることを不本意がっているあの「おじいちゃん」だ。草刈さんの「おじいちゃん」はいいなぁと、うすうすぼくも思いはじめていたところに、ある回で、広瀬すずさんのなつちゃんが、こころからの「ありがとう」の意味を込めて、「おじいちゃん！」と声に出すシーンがあった。
いい！　わるくない！　「おじいちゃん」いい！　もう、これでいいんじゃないだろうか。そのとき、ぼくのこころは、すっかり傾いていた。ま、ある意味、ぼくはもう、なんなら草刈正雄になったっていいっちゅうくらいの決心をしはじめていたのである。

しかし、まだ、その決意を御本人には告げていない。「赤ちゃんよ、きみは、わたしのことを呼ぶとき、おじいちゃんと言っていいよ。おとっつぁんとか、とうちゃんとかでなく、戸籍上の祖父を意味するおじいちゃんでいい。もう拒否することはないし、きみさえよければ、日に何度でも呼んでいいよ」と、伝えてやりたいのだけれど、彼女は、まだ日本人の会話が成り立つほどのことばをおぼえていないようなのです。

きっと、ぼくがそういうふうに話しかけたら、天使のような笑みを浮かべ、そのことばをすべて理解し了承したかのように両腕を大きくバタバタさせることでありましょう。

も゛ーー

会いに行こうと思えば行ける場所に、
生後半年にもならない赤ん坊がいると、
ついその成長の過程をおもしろがって観察してしまう。

昨日は、「寝返り」が打てるようになった日だった。
生まれてこのかた、基本的には天井を見る姿勢で、
ずっと過ごしていた人であったが、ついに、
うつ伏せの姿勢になれたのである。
寝返りを打てると、腹ばいになれる、腹ばいになれると、
ハイハイで移動できるようになる、
ハイハイから立っちができ、そこから二足歩行が始まる。
生まれたばかりのひとりの人間の日々が、
まるで超スピードで人類の歴史をなぞっているようだ。
赤ん坊ひとりが、大博物館のようである。

ことばなどなにも知らないはずなのに、
知り合いの子どもたちが読み聞かせをしてくれたら、

それをまじめに聴いているようなのである。
じぶんに向けての語り、という交流そのものに、
興味と快感があるのだろうと思う。
ことばをかけられるというのは、人間にとって、
撫でられたり抱かれたりするのと
同じようなうれしさなのだろうと思えた。
ここに意味というものが乗ってくるのはずっと後のこと。

それによく似ているのが、笑うという表情と呼吸だ。
「おもしろくて笑う」というのは、
脳にとってのずいぶんと高度な大仕事である。
しかし、赤ん坊の人たちは、実によく笑っている。
それを見ている大人たちも、笑いに対して笑いを返す。
「なぜ笑ったのか、なにがおもしろいのか」なんてことが
わからないうちから、先に笑いの交換がある。
強烈な演劇論を教えられているような気がする。

娘のところに赤ん坊が生まれてから、
毎日のように写真や動画を見たり、
なにか用事をつくっては会うようにしたりして、
大げさに言えば、人生の励みみたいにしている。

なにか絵本の話題が出たりするたびに、
親より先に手に入れて、「あ、買っておいたから」と、
何気ないふりでプレゼントすることなどもある。

自覚もしているのだけれど、
祖父とか祖母というものは、
プレゼントの機会を、いつでも必死で探しているのだ。
ほんとうに小さなこどもにプレゼントしたいものは、
なんなのだろうと考えてみる。
「愛情」だとかいう答えではしょうがない。
それはもう、前提にしておくことにする。
才能だとか、美貌だとか、力だとか、財だとか、
そういうものも答えにしたくない。
それらは、幸も不幸も引き寄せるものばかりだ。

じぶんが、受け取った最大のプレゼントはなんだったか、
よくよく思い出してみるとわかってくる。
それは、「ともだち」じゃないだろうかと思った。
どれだけ、なにを持っていても、
「ともだち」がいてくれなかったら虚しい。
考え方の相違はあるかもしれないけれど、
親より兄弟より、恋人よりも、
いい「ともだち」こそが、
人生に欠かせないものなのではないだろうか。

娘の娘に、いいともだちがプレゼントできたらなぁと、
思うには思うのだけれど、そんなことは無理だ。
「ともだち」はプレゼントされるものじゃないからね。
せめて、「いいともだちに恵まれますように」と、
祈ったりすることしかできないのだけれど、
その祈りを贈り物にしようかな。
「祈り」は贈り物になるかな。
なるよね。なると思います。

ぼくの娘の娘、つまり孫。
ちょっとずつ、毎日のように変化し成長して、
いまは生後6ヶ月の赤ん坊になりました。

もともと生まれたてのときは、筋肉とかも、
ほとんどなかったと思うのですが、
激しいキックや、高速の腕バタバタをくり返して、
あちこちにけっこう使える筋肉ができてきました。
歯はもうちょっとで生えそうですが、まだです。
のどを鳴らすような声を出したりしています。

おすわりは、だいたいできますが、安定はしてません。
しばらく前に、寝返りができるようになりました。
もうちょっとでハイハイもできそうですが、
これも、あくまでももうちょっとという状態です。

離乳食は、ちょうど半年くらいでスタートしています。
いまのところ、おコメが大好きなようです。
食べては、こみあげるように笑っています。
人を見ると、目を合わせてよく笑うので、
愛想がいいということでよろこばれています。

生まれたときから毛量的には変化なしなので、
頭の大きさが大きくなるにしたがって薄毛になって、
身内の間では、「はげちゃん」と呼ばれてもいます。
ぼくは、「はげちゃん」のスタイルがけっこう好きで、
このままじゃ困るけれど、このままもいいなと、
ねじれたことを考えています。

絵本とか、まだいらないのかもしれませんが、
両親も、ぼくらも、よく買っています。
わかろうがわかるまいが読み聞かせをすると、
目を輝かせて聞いています。
はじめて、「おばあちゃん」が読み聞かせをしたのは、
アヤ井アキコさんの「もぐらはすごい」でした。

ぼくは、いずれ、いっしょに旅をしたり、
うちに泊まりにくるようになることを、
たのしみにしています。

いまのまま、よく笑うげんきなこになりますように。

メンタルリープ研究所のツイートで
「赤ちゃんの世界は絶えず広がり続けていて、
　そこに存在するママを始めとした
　全てに恋い焦がれているので……」
という文を見つけた。
すごいなぁ、うらやましいなぁ。
「全てに恋い焦がれている」赤ん坊たちよ、
成長して、君たちの恋が少しずつ破れていくにしても、
そんな季節があったことは、きっと記憶に残るよ。
ぼくも、そんな赤ん坊だったことを信じたいな。
それにしても、いいことばだなぁ。
「世界の全てに恋い焦がれている」だって。

絵本を持って、まだことばをおぼえていない赤ん坊に、
「読み聞かせ」をすると、それなりに
聞いているように見えるから不思議だ。
じぶんに呼びかけられている感じがいいのかもしれない。
ことばのわからない赤ん坊だってよろこぶのだから、
多少なりともしゃべれるようになった子どもなら、
「読み聞かせ」はかなり好きなのではないだろうか。
いちばん安心できる人の声で、
知らない世界に連れて行ってくれるのだから、
それがたのしくないはずはないだろう。
声で、こころを愛撫するような行為なのだろうな
（そういう意味では、歌を歌うのも似てるかな）。

こんなふうに考えていくと「読み聞かせ」というのは、
子どもにとっての、たいへんに贅沢な遊びなんだね。
その遊びで、なにが育ったりだとか、
どこがうれしかったりするのかは知らないけど、
大人でもしてほしいくらいの、ご馳走な行為だよ。
たぶん、一冊の本をぜんぶ読んでくれる人が、
実際に、ここにいるってわかった子どもたちは、
じぶんが大人になったとき、本を読むことを
めんどうに感じないんじゃないだろうか。
おかあさんたち、ごくろうさま、いいことしてるね。

娘の娘である赤ん坊が、ものすごい勢いで
「ずり這い」ということをしている。
「はいはい」のようにひざをつかうのではなく、
下半身はリズムを取るようにゆらゆらさせて、
ひたすらに手とひじで前進する。
これが、おどろくほど速いのである。
家に猫がいるので、それに倣っているのではないか、
という説もあるけれど、真実はよくわからない。

そして、はいはいが完成する前に、
つかまり立ちということを、さかんにやっている。
まだ8ヶ月なので、急がないでもいいのに、
赤ん坊からは、立ちたいという強い望みを感じる。
「あんまり早くに立たせるのはよくない」とか、
聞いたこともあるのだけれど、
立ちたいと思って立っている赤ん坊を、
わざわざ止めることもないと、家族一同は思っている。

いま彼女は、速度を上げた「はいはい」の時期で、同時に「つかまり立ち」に張り切っている。食べものを、手づかみで口に入れ、上手にではないけれど上下4本くらいの歯で噛む。こぼした食べものをキャッチするエプロンがあって、そのカンガルーポケットのようなところに、ごはんだとか、りんごだとかパスタだとかが、次々に落ちていくので、周囲が汚れにくい。このエプロン、うまい発明をしたものだなと思う。

で、ぼくのおもしろがってるのは、食事中にも使っている「水をのむためのコップ」のこと。赤ん坊は、おいしそうに、よく水を飲む。で、それを椅子に付属の小テーブルに置いておくと、うれしそうに手で払って落とすのだ。それを、おかあさんが拾う。赤ん坊はケラケラとうれしそうに笑う。落とす、拾う、落とす、拾うがなんどでも繰り返される。手で払うとコップは動いて落ちる。

この事実をおぼえたので、それをやっているのだ。落としたときの「あわわ」とおどけるおかあさんの声が、反応として聞こえるのも、きっと満足感があるのだろう。おかあさんは、まったく怒らない。いま母と子の間にあるべきは「人の迷惑」などではなく、「落とすと落ちる」という法則のほうだからだ。「落とすのはだめなのよ」とか、まったく言わないで、「あっちゃー」とか「じょうずだねー」とか言っている。人としての成長の過程で、社会化はまだ要らないのだ。こういうことを母親が、知識として学んでいるらしい。いい時代になったものだと、おじいさんはよろこんでいる。

しみじみ思うのは、
人間のこどもの見事なまでの成長の遅さである。
孵化した途端に歩き出すカマキリだとかは極端としても、
哺乳類の人間という種の「のんびりやさん」ぶりは、
とにかく群を抜いているし、そこから考えることが多い。
まだ寝返りも打てないのに、愛想よく笑う赤ん坊が、
歩けるまでには、まず1年かかる。
親の目の届くエリアから抜け出せるまでには10年、
じぶんでエサをとってこられるようになるには20年か。

犬でも猫でも、それだけの時間が流れたら、
孫の孫の孫の孫の孫くらいまでは生まれているだろう。
人間だけが、一人前になることを永遠に先送りして、
いつまででも「完全じゃない生きもの」として

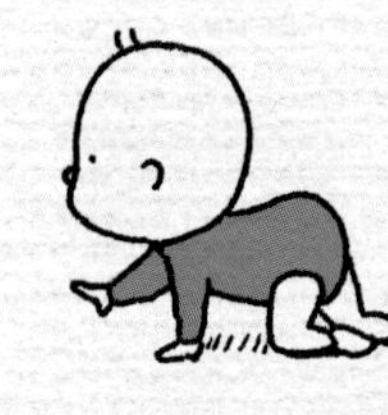

生きていけるという不思議などうぶつなのである。

1日、1週間、1月、1年という
それぞれの単位での成長もあるし、
何十年もかかってできるような成長もある。
こんなに丁寧に生きるようにつくられた生きものは、
人間以外にはどう考えてもいないと思う。
だって、こんなにいっぱい生きているぼく自身でも、
まだ成長のプロセスにあるんだよー。

ときには急ぐことも必要だけれど、ほんとに大事なことは
人間が成長するような時間軸でやっていくのかもねー。
成長の遅さを、じっくり味わえるような成長が理想だなぁ。

なにをプレゼントしてやろうか
ということばかり考えている。
おもちゃや洋服だけでなく、
なにかおいしいおやつでもなく、
なにをあげようと考えるときに、
「とるにたらない」ものや、
「とるにたらない」ことや、
「とるにたらない」話を、
たくさんあげたいなぁと思った。
ほんとうに「とるにたらない」ものごとが、
ぼくのほとんどぜんぶなんだよと言って
いっしょに笑いたいと思った。
だって、おそらく、ぼくはほんとうに
「とるにたらないもの」でできているんだからね。

じぶんだけで生きる力を持っていない幼いものは、
大人たちの手助けを前提にして日々を生きている。
どんないい人にも、どれだけの悪い人にもお願いだ。
こどもをひどい目にあわせないでください。
愛がゆえであろうがなんであろうが、それだけはだめだ。

ともだちの家の3歳のおとこのこに、
「明日は嵐がくるらしいよ」と言ったら、
なんだかわくわくしているようすで、
やってくる嵐を待っているという。
「生まれてはじめて見る嵐だからですかね」と、
おとうさんであるともだちは言った。
「人類がはじめて経験する嵐みたいだね」
おとこのこ、嵐ってやつがどういうものなのか、
どんな想像をしているんだろうと思ったら、
ぼくまでわくわくしてきた。

もうすぐ1歳の誕生日を迎える娘の娘は、音楽が好きで。
音楽が聞こえるとリズムに合わせて手や腰を振って動く。
しかも、うれしそうに満面の笑顔になるので、
ぼくらは、彼女になにかと音楽を聞かせようとする。
ところが、最近、母である娘の撮った新作動画で、
「音楽を聞いて悲しそうにしている赤ん坊」があった。
呼吸もみだれて肩で息をしているようにも見える。
涙は出ているかどうかわからないが、泣き顔である。
こども向けのなにかのテレビ番組でやっている
『黄金虫（こがねむし）』という歌。
これが流れると、怖くなってしまうらしい。
そうか、どんな歌でもよろこぶわけじゃないんだ。
悲しい気持ちになる歌も、もうすでにあるものなんだね。
こころっていうものの広さ深さ複雑さを感じるなぁ。
『黄金虫』つくった野口雨情と中山晋平、恐るべしだなぁ。

近くにいる赤ん坊が、
最初に話すことばはなんだろうとたのしみにしていた。
ものを渡すときの「どーじょ」だった。
パパでもママでもなく、うまうまでもなく、「どーじょ」。
おじいさんは、いいなーと思った。

お年玉をこどもがもらって、それをなんに遣うのと訊かれたとき、「貯金をする」と答えると、「えらいねー」とほめられるのは、どうなんだろう？　ぼくがお年玉をもらっていた時代には、そんなふうにほめられたものだったけれど、はたして、いまの時代はどうなっているのだろうか。

ほしいものやら、お金を遣いたいことやらについて、頭で考えること、そして、それを実行すること。あるいは、それをして失敗すること。そのすべてが、将来大人になったときのための、すばらしい練習になることなのだと思う。ぜんぶを、すっからかんに失ってしまうのが怖すぎるというのなら、一部分だけ遣うのだっていい。じぶんなりの欲や、じぶんなりの快感をおぼえて、その欲望という名の自動車を運転してみる。このことこそが、大事な教育であるはずだ。「貯金をする・えらいねー」のコントは、なんにもやらないことがえらい、とおぼえさせるだけだ。「貯金をする」は、じぶんの自由になるお金で、考えさてなにをしようかと考えはじめもしないうちに、考えにも欲望にもストップをかけてしまう行為だ。親は、「貯金をするだって！」と、ちょっと叱ってやる必要さえあるのではないだろうか。

貯金をしたら利息が付きますという時代もあったけれど、いまは、ほとんどそういうこともないのである。出たり入ったりするから、パワーを発揮できるので、お金はじっとおとなしくさせておいても、ただの紙切れであり、数字である。そこから「それはどういうことなんだろうね？」と、こどもに教えるのが親の仕事なのに、「貯金はえらい」では、どうしょうもないと思うのだ。

正直に言って、ぼく自身が「貯金はえらい」と、大人たちに教えられて育ってしまったこどもだった。いまだに、その考えのシミが心に残っている。お金は汚い、お金は遣うなと、本気で教えられたもんなぁ。

じぶんに赤ん坊がいるわけでもないのに、
育児書やら熱心に読んでるのも、ちょっと変ですけど。
ぼくが個人的に、これはいいなと思っているのは、
大きくは、「自己肯定感」を大事にする考え方です。

最近知って、しみじみいいなぁと思ったのは、
コンピテンス（competence）という概念です。
硬い日本語訳だと「環境と効果的に相互交渉する能力」
ということになるらしいのですが、ぼくなりに意訳すると
「いろんなモノゴトと親しむ能力」という感じかなぁ。
もっと別の、歌みたいな言い方をすれば、
「わたしが世界に笑いかけ、世界はわたしに笑いかける」
ということになるかもしれません。
「じぶんがそこにいていい」と安心していられる感覚。

そして「じぶんがいることを、よろこんでもらえてる」
といううれしさの感覚をまとめたようなものですかね。

この「コンピテンス」を養ってやることが、
親や周囲の大人たちの、とても大事な仕事である、と。
そういう育児の考えが、老人であるぼくのこころに、
ずいぶんと深いところで響いてくるのです。
親たちが赤ん坊の態度や行動から気持ちを察して、
「ちゃんと対応をする」ことで培われていくそうです。
記憶の底のさらに奥底にいる「赤ん坊時代のじぶん」が、
この考えに「そうだそうだよ」と激しくうなずきました。
ぼくの近くにいる赤ん坊と母親の間で交わされている
「根気のいい対応」を見ていたりすると、ぼくなんかは、
もう一度赤ん坊からやり直したいかも、とか思ってます。

〈年をとった灰色ロバのイーヨーは、森のなかの、アザミのはえてるすみっこで、前足をぐっとひろげ、頭をかしげながら、たったひとりで、いろんなことをかんがえていました。どんなことをかんがえるかといえば、あるときはかなしげに「なぜ？」とかんがえ、またあるときには「なにがゆえに？」とかんがえ、またあるときには「いかなればこそ？」とかんがえ――またあるときは、じぶんが、なにをかんがえているのか、よくわからないのでした。そこで、クマのプーさんが、バタンバタンやってきたときは、いんきな声で「ごきげんよう」をいうあいだ、ちょっとかんがえごとをやめていられるので、たいへんうれしく思いました。〉

これはもちろん岩波少年文庫の『クマのプーさん』（A・A・ミルン作石井桃子訳）の一部抜粋です。ぼくが子どものころに、なんだかこの本が好きで、好きなのだけれど、ちょっとわからない言い回しや、ふだん耳にしないことばがあることを気にしながらも、それでもいいやと読んでいたものでした。そのちょっとわからなさも含めて、好きなのでした。それから半世紀も過ぎて、その「わからなさ」が、どんなものだったのか、あらためて知りたくなって、『クマのプーさん』を、買ってみたのです。なんとなく開いたページを、ちょっと目で追ったら、もうさっそく「子どもにわかるのだろうか」という文が、へっちゃらで記されていることに気づきました。

断言しましょう。どのページを開いても、このくらいむつかしいです。裏表紙に「小学4・5年以上」と記されていますから、小学校高学年なら読めますよということでしょう。もしかしたら、ぼくの読解力がいまだに弱いままなのかもしれませんが（そうでもないとしても）、右の十行ばかりの文章、けっこうむつかしいですよ。（おかあさま方に向けて）実を言えば、文の内容に「ナンセンス」という味付けがなされているので、そこをたのしめないと、おもしろさに至らないのです。この登場人物たちの存在や思考、発言には、「なんだかわからない」ことが表現されているのです。この本で育ったこどもたちが幸福でありますように。

作者ミルンさんもすごいだろうが、石井桃子さんがすごい。

『石井桃子のことば』という本を読んでいる。その本の、表紙をめくったところに黒いインクで書かれた作者のことばがある。

子どもたちよ
子ども時代を　しっかりと
たのしんでください。
おとなになってから
老人になってから
あなたを支えてくれるのは
子ども時代の「あなた」です。
石井桃子
2001年7月18日

なんでもなくさえ見えるような、このことばは、ぼくのこころには、ずいぶんとしみた。

おとなになってから、子どものころに、大切にしていたぬいぐるみも、たくさんのおもちゃも、絵本も、歌も、なにかの役に立つということは、たぶんない。

少しでもなにかの役に立てようとするならば、ぬいぐるみを抱いているよりも、足し算や引き算、漢字やら外国語の勉強をしているほうがいいだろうよ。

でも、ぼくらは、わりと自信を持って言えるよね。ぬいぐるみで遊んでいる時代に、なにか役に立つことばかりをやらされた子どもは、こころの真ん中にあるはずの、なにかが育たない。

そのなにかというのは、そうだな、人が生きるのを支えてくれる、「人らしさ」みたいなものだよ。人間にとって、どんな能力やら道具やらより大事なのは、たぶんその「人らしさ」みたいなもの、だ。それがたっぷり詰まってる人には、いいことがあるよね。

子ども時代のじぶんに、ほんとうに助けられていると思う。

がんばるとか、いっしょけんめいとかいうことばは、赤ん坊にはいらない。というか、そういうことばはない。がんばろうと思わなくても、がんばってるし、がんばらないときには、がんばらない。

大人たちから見ると、赤ん坊というのは、ずいぶん真剣に生きているように見えてしまう。しかし、赤ん坊は真剣でもまじめでもない。ただ、生きているのだ。ただ生きているというのは、赤ん坊にとってなかなかむつかしいもので、かならず人の助けがいる。赤ん坊はその助けをあたりまえのように受ける。あたりまえのようにと言うのは、他人の見方なのであって、赤ん坊にはそんなことばだってない。

ただ生きているということに、がんばるとか、いっしょけんめいとか、真剣とか、まじめとか、むつかしいとか、人の助けとか、あたりまえのようにとか、そういうことばをくっつけたがるのは、すべて大人のほうのりくつにしかすぎない。赤ん坊は、ただ、生きているのだ。それをまた、ぼくなんかは、かっこいいなどと言いたがる。

みんな赤ん坊だったと思うと、みんなたいしたことをやってきたんだなと、ちょっと見直してしまいたくなる。弱くて無防備で、ただ生きていた。そして、それが歩きだしていつしか「おれ」や「おまえ」になった。そこまで来ただけでたいしたものだった。そこらへんから、妙になったり、変になったり、不思議になったり、硬くなったりしてきた。力を抜いたら、すっと赤ん坊になれるようなそういう「赤ん坊術」があるのなら、毎日、それをやっては生まれ直したいものだ。

さっき、赤ん坊の写真を見ていて、

「彼女は、きっと、運よくなんとかするでしょう」

というセリフを思いつきました。

きっぱりとそういうふうに言ったら、
こりゃぁ気持ちいいだろうなぁと、にんまりしました。

いまの時代に生きている人は、ほとんどが、
「ああして、こうして、こうやったら、こうなる」と
信じこんでいろんなことをやっています。
ほんとうはそうなってない場合も、おおいにあります。
そんなに計画どおりにうまくいくのなら、
ほとんどの人も組織も、うまくいってるはずですよ。

そういう時代に、

「彼女は、きっと、運よくなんとかするでしょう」

と言うのは、まじめな親は言っちゃいけないセリフです。

でも、実際には、そのくらい余裕を持ってなくちゃ、
窮屈でしょうがないし、おもしろくもないでしょう。

どうせ予定どおりになんかなるわけないんだし。

ぼくは、思いついたセリフを、
赤ん坊に言ってやろうと思います、親じゃないんだし。
いや、親だとしても言ったほうがいいと思うんですよね。
ひとりの人間の生き抜く力を、もっと信じてやりたい。
確率だとかにどれだけ賭けても、ハズレはハズレだもの。
「ああしようが、こうしようが、たのしかった」とかね、
笑顔で言ってるような女性になったらいいなぁ。

日曜日だし、母の日だしということで、赤ん坊とその両親は、陽のよくあたる公園に行きました。ベビーカーを押しながら歩いたり、抱っこして歩いたり、クローバーの上に腰をおろしたりしていたようです。写真もたくさん撮って、共有アプリに掲載しました。この家族は、おとうさんも、おかあさんも、赤ん坊も、そろいもそろって、いわゆるお調子者なのでして、飛んだり跳ねたりおもしろいポーズをとったりね。新米の親と新米の子どもの写真が撮られていきます。

共有アプリで写真を見ていた内輪のメンバーが、その愉快写真を見て「はじめての母の日ポーズ。相変わらずちょっとハデ目（笑）」とコメントしました。いわゆる母と子の写真っぽくないのがおもしろくてね。それに応える感じで、おかあさんがコメント、「おかしな母さんだけど、よろしくね」と。だれに「よろしくね」なのかといえば、おそらく「未来にこの写真を見る子ども」にです。

ぼくは、写真のなかの赤ん坊が、娘さんになって、はじめての母の日に大笑顔でポーズをとってる「おかしな母さん」を見たときのことを想像しました。「たのしそうだなぁ」とは、きっと思うことでしょう。「へんなおかあさんだなぁ」とも思うかもしれないけど、なによりも、「じぶんを育てているおかあさん、こんなにたのしそうにしてたんだ」と感じるでしょう。じぶん（赤ん坊だったわたし）がいて、おかあさんがニッコニコして飛び跳ねてる。それをおとうさんが写真に撮っている。これは、なによりのプレゼントになると思ったのです。

そりゃあ辛い日だってあるかもしれないけどさ、お調子者のおかあさん、そのまま行け！　たのしい気持ちと、たのしい時間を大事にね。母の笑顔、父の笑顔は、子どもにとって最高の宝ものだよ。

生まれてまもない人たちが、
これから先、けっこう長い時間を生きていくのに、
いやだなぁと思うのではなく、
もっともっといつまでも生きてみたいものだなぁと、
そんなふうに思えるといいな。

はつしごと。

ブイコは、
これがデビューです。
赤ちゃんは関係ありません。
今日の主役はブイコです。
そして、とても
いい仕事をしました。
なかなかの新人女優でした。

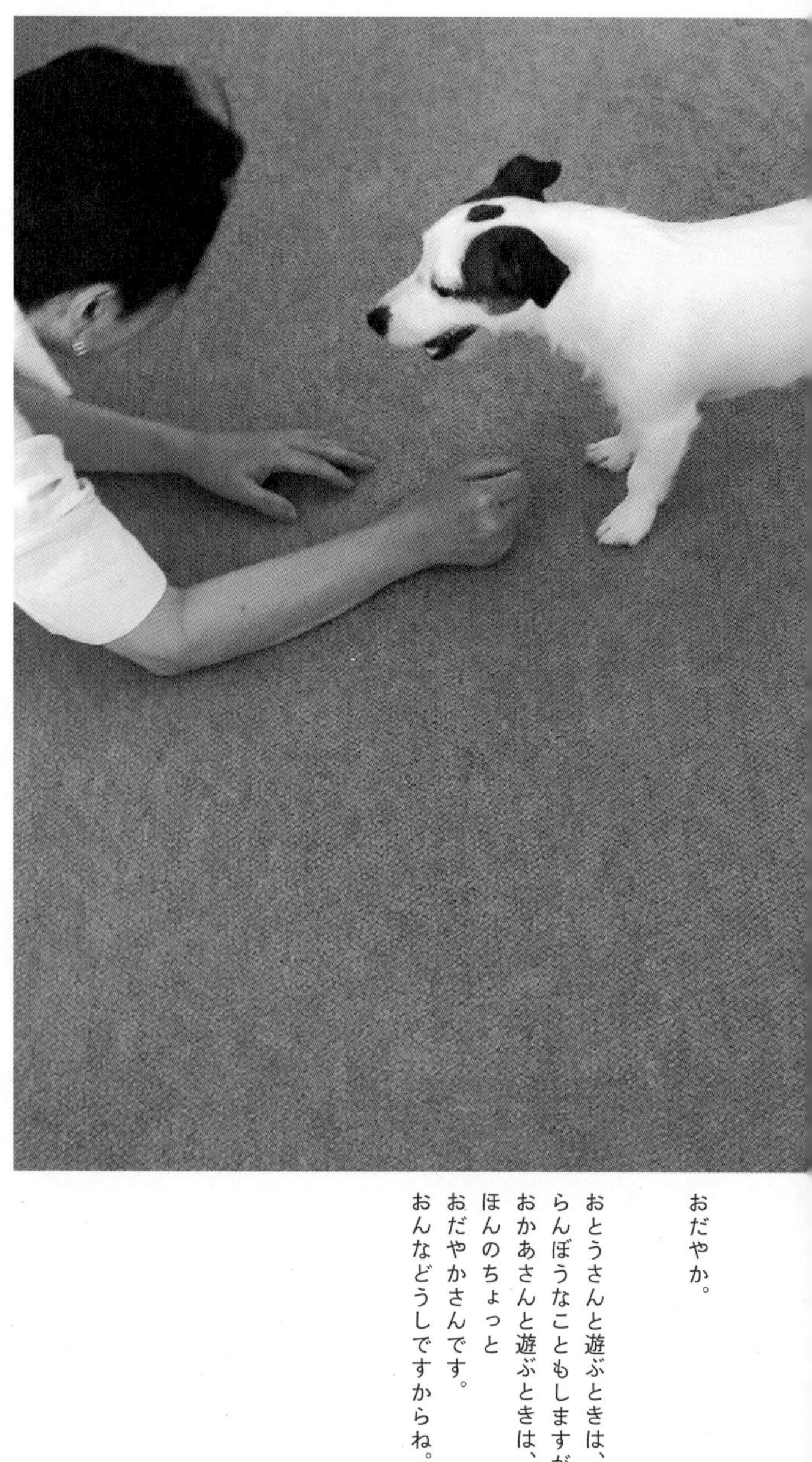

おだやか。

おとうさんと遊ぶときは、
らんぼうなこともしますが、
おかあさんと遊ぶときは、
ほんのちょっと
おだやかさんです。
おんなどうしですからね。

はるのはな、かすてら。

ブイヨンの3月21日。
なにかピンクの春の花。
それとカステラ、
ヨーグルトもね。
ブイコが寄ってきて、
おかあさんが
写真を撮ります。
ブイヨン、
元気そうでよかったね。

「頭」という地名は、どこかにあるだろうか。

そこでは、旅人は、こう言うことになる。

「頭に来た」

淡水にいる河童と、海にいる河童がいるらしいけど、
たぶん汽水域には特にいい河童がいるんだろうな。

夫という人類が、
どれだけ「平和な洗濯」をぶちこわしていることだろうか。

「北風と大腸」の物語を思い出そう。
「歯周ポケットマネー」でなにか買いに行こう。

「オーダー信長」

幸せの青い鳥から見て、　あなたは幸せの人間でしょうか？

In the Blue Bird's eyes, are you the Blue Person?

In the Blue Bird's eyes, are you the Blue Person?

In the Blue Bird's eyes,
are you the Blue Person?

デザイン＝秋山具義

発祥は大事だよねー。

さて、
料亭にあるわけじゃぁ
ございません。

「好き」っていう感情は、ものすごいものだ。
「好き」は、それぞれの人の大事な宝物だ。
ありとあらゆるものを失ったとしても、
「好き」があったら、そこから生きられる気がする。
落ち込みきったところで、じぶんの「好き」を、
こころの水底から拾い上げる人もいるかもしれない。
両親から、いつのまにかプレゼントされる人もいそうだ。
好きになった人からもらったりもするだろうけど、
失恋の相手から受け取った人もいるだろう。
「好き」から、はじまる。いいテーマだ。もっと広げよう。

人は、つらくても、苦しくても、お金がかかっても、
たくさんの時間をとられても、危険があっても、
「やりたいことをする」のが大好きなんだよ。
得しようが損しようが、辛かろうが、時間がかかろうが、
関係ないんだよ、やってることがうれしいんだ。
金のためでもなく、健康のためでもなく、
好きだから、していることがある、人間には。

嘘をつきとおすことは、ほんとうにむつかしい。
ひょっとしたら嘘をつきとおすことなど、
簡単だと思っている人もいるかもしれないけれど、
ぼくは、人間にはむつかしいものだと考えている。

ひとつ嘘をつくと、その嘘をほんとうに見せるために、
また別の嘘をつかなくてはならなくなる。
やがて、いくつもの嘘が絡まりあって、
どうやって嘘がばれないようにするか
ということばかり考えているような生き方を
強いられてしまうようになる。

倫理としてではなく、ぼくなりのまとめ方をするならば、

嘘をつくことは、
じぶんの「自由」を失わせるということだ。

嘘をついてしまったり、
結果的に嘘になるようなことをしてしまうと、
そのせいで、どうしたって自由が小さくなる。
どこで、どんなふうに嘘をついたのかを、
あきらかにして謝ると、罰を受けるかもしれないけれど、
嘘をついて失っていた自由は取り戻せる。

嘘をつかないことでのめんどくささは自由へのコストだ。
それは、ずいぶん高いんだけど、払ったほうがいい。

なんかいっぱしのことをやった人は、
基本的に、すっごくよくしゃべる。

スターたちも、職人さんたちも、社長たちも、
みんな、ものすごくよくしゃべる。
美意識としては「ことば少なに」という態度があるし、
そうしている人たちもいるのはわかるが、
人に見られたり、人を動かしたりする人たちは、
渦巻くほどのことばの中心に立ってきた戦士だと思う。
少なく効果的にしゃべることも含めて、
やっぱり「おしゃべり」なくらいでないと、
世の中に渦はつくれないんだろうなぁ。

あ、おれ？　たいしたことない人で、おしゃべりな人です。

「愛したい・愛せるもの」を、人は探しているのだろうね。

じぶんがいつもちゃんとしていると思っている人は、
それだけでは済ませられずに、
他のちゃんとしてない人を見つけては責めたがります。

じぶんがいつも我慢していると思っている人は、
なにかを我慢していない人を見ると、
そんなことじゃダメだと文句を言いたくなります。

じぶんが謙遜し地味にしていると思っている人は、
言いたいことを言ってる人や派手な人のことを、
あんなことでいいのだろうかと疑問視しがちです。

じぶんが正直者であって、

そのせいで損をしていると思っている人は、
損をしていない人のことを不正直者だと思ったりします。

たいていの対立は、「あんたの幸福は、わたしの不幸」
ということを動機にしているようです。
じぶんのようでない人が元気で勢いよく生きていると、
じぶんが生きづらくなると思うのかもしれません。

ほんとは、人の社会もひとつの生態系だから、
どれかの生きものが元気だというだけで、
別のどれかの生きものが滅びるというような
単純なものじゃないと思うんですけどねー。

経営も含めてなんかのアドバイスというのは、
「それは、よくあることだよ」と、
「そこをなんとかするんだよね」で90％間に合う。
あとの10％に、「あれは、やった？」とか
「ちょっと休もう」などがある。

「目的のためには手段は選ばなくていいのか？」
若いときにも、そういう言い争いをしたことがあるし、
年を重ねてからも、それを考えたことが何度もある。
目的と手段のこと、いまごろになって、
こう言ってもいいのではないかと思うようになった。
「手段は目的に含まれている」よ、と。
たとえば、崇高な目的のために汚い手段を使うとしたら、
その目的は崇高でもなんでもなく、汚いのではないか。
たくさんの嘘をついて、相手の「悪」を倒すという人は、
倒した後にも、だれにでも嘘をつき続けるのではないか。
やむをえない例外もあるのだろう。
でもね、ぼくは「手段は目的に含まれている」と、
そう思ってこの先も生きることにする。

週日の昼間や夕方のテレビを点けておくと、
同じニュースが何度も何度も、どこの局からも流される。
その情報について、コメンテーターという職業の人から
「こういうふうに思う」というような、
いくつかの「感想モデル」が提示される。
そのうちの気に入った「感想モデル」をコピーしたり、
複数の「感想モデル」を混ぜたりして、
じぶんの「こういうふうに思う」という意見が作られる。

一日に何十回も「大事なニュース」が放送されていると、
その「大事なニュース」について、なにか言わないと
いけないいんじゃないかという気になるのかもしれない。
人と会ったときに、その話題について語りたくなる。

そのことについて「だまっている」ことが、
かえってむつかしくなっていることに気づく。
近くに語る相手がいなければＳＮＳでコメントを発表する。
そして、しゃべるだけしゃべったころ、
その話題がまるごとフェイドアウトしていったりして、
あらたに、次の話題がやってくる。

みんなが話題にしていることについて、
あなたのコメントを、だれが求めているのだろうか。
仮に、近所の話し相手の人々が求めているとして、
それは、ほんとに本気で訊きたがっているのだろうか。
ねぇ、みんな、あんたの本業は、そっちやないで。
実際に、あんたを必要としている場所でがんばろうや。

「○○をしようと思うのだけれど、やる気になれない」
という人は、「しようと思ったのならしているはず」だ。
「やる気」だの「やらない気」だの関係ない。
しようと思ったときにしていれば、なんの問題もない。
実は、「しようと思ってなかった」のである。
このことは、じぶん様に教えてやりたい真実である。
お役に立つと思うなら、あなた様にもお分けしてやろう。

ほとんどの怪しいものは、目で見ている向こう側でなく、
こちら側のこころの中に棲んでいる。
落ち着いてよく見るであるとか、よく調べてみたら、
幽霊に見えなくもない枯れ尾花なのである。

人を動けなくしたり、いうことを聞かせるには、
恐怖を感じさせるにかぎる。
恐怖であるとか呪いだとか、逃げ出しようのない強い力、
そういうものをありそうに見せて、しばりつける。
逆に言えば、その「こっち側の幽霊」だけでも消せれば、
人はいまよりずっとのびのび生きられると、ぼくは思う。

おたのしみとしての恐怖で遊ぶのはいいけれど、
何やら恐ろしいものに見せようとする枯れ尾花のことは、
「それ以上のもの」に見てやってはいけないのだと思う。
怖くないというだけで、それはおもしろくも思えてくる。

なんとなくの不安やら警戒心を持ちながら、同時に
なにかを思い切りするということは、できないものだ。
インフルエンザでも、大雪でも、大嵐でも、
困ったことのあるときに、社会は、というか人間は、
フルスイングできなくなる。

のびのびと、思いっきりなにかする、
ということから、たくさんの成果が生まれてくる。
フルスイングをする選手からホームランが生まれる。
そういうことが、すっかり減ってしまうのである。
テロリストが、都市のある一箇所に爆弾を仕掛けて、

場所を明かさず「爆弾ヲ仕掛ケタ」という情報だけ流す。
これだけで、その都市のあらゆる場所の機能が
停止してしまうことになる。

インフルエンザの流行でも、社会はフルスイングを失う。
人の気持ちが縮こまってしまうのは、高くつくのである。
なにかを、無意識に「思いっきり」やれるというのは、
ほんとうに、うれしくも幸福なことなのだ。
不安を抱えるのは容易い。フルスイングには希望がいる。

「あなたがするようには、わたしはしない。」
行きたい先は同じだとしても、
あなたのような方法では、行かない。
ということがいくらでもあるのだ。

「わたしがするようには、あなたはしない。」
やりたいことが同じだとしても、
わたしのような方法では、あなたはしない。
そういうことは、おおいにある。

「あなたがするようには、わたしはしない。」

そういうことは、実はけっこうたくさんあると思うのだ。

だってね、ちがうんだもの、あなたとわたしはね。

同じでないあなたとわたしが、共にいられますように。

「それをするのは得なのか、得ならばやろう」

「それをするのは損ではないか、損ならばやめよう」

「それは善なのか、それとも悪なのか。悪ならやめろ」

というようなリクツが、世の中に満ちているけれど、
校庭で休み時間に遊んでいる小学生には、
そんな判断などひとつもなくてよかったはずだ。

食事を語るにも「コスパ」とか、よく問題にするけど、
つまりそれは損得の話にしているんだよね。

なんか、それはたのしみを減らしてるような気がする。

いったん損得善悪を忘れて生活してみたら、どうだろ。

損得や善悪で判断して、得られるのは得と善ということか？

負けず嫌いのひどい人のことを、ぼくは笑う。
もうちょっと、その、いいじゃないかそのままでと、
なぐさめるように、いさめるように笑いながら言う。
でも、ぼくにも、そういうところはある。
ないとは言えない。

嫉妬深い人を見つけてしまって、つらくなる。
それは、相手ばかりでなくじぶんをも苦しくすると。
あわれむように、あきれるように思いながら黙る。
でも、ぼくにも、そういうところはある。
ないわけじゃない。

なんでも信じる人がいたりすると、まさかと思う。
そんなことで、よくご無事にやってこられたものだと。
うらやましがったりもするし、首を傾げてしまう。
でも、ぼくにも、そういうところはある。
ないわけじゃない。

つまらないところでケチな人に、ちょっと顔をしかめる。
それは、だれにもよろこばれないことだぜといらつく。
考えが足りないのではないかと、ちょっと見下す。
でも、ぼくにも、そういうところはある。
ないわけじゃない。

負けず嫌いで、嫉妬深くて、騙されやすくて、ケチ。
そういうところが、ないわけじゃないし、
なくて済むなら、ないほうがいいなぁとも思っている。

ないほうがいいなぁと思うことを、
ないようにならないものかと、こらえることを、
「やせがまん」というのではないだろうか。
少しずつ「やせがまん」を練習していくと、
それなりに、もうすこしじぶんを好きになれる。
何十年もかかって、数ミリずつなのかもしれないけど。

千葉市美術館にいる。「目非常にはっきりとわからない」をやっている。大勢の観覧客がいるのがよくわかった。来なきゃわからない。遠かったけどねー。

生まれてはじめて「富士スピードウェイ」に来てます。ちょっとジュラシックパークみたい。恐竜たちが吠えてる走ってる！

神宮球場の観客席で、まぬけなツイッターをやっている。
なにか見たくないものから
目をそらそうとしているのだろうか彼は。
彼じゃないよ、俺だよ！

呆れるのも飽きた。

久しぶりにくたびれちゃったなぁと帰ってきたんだけど、
野球のほうもなんだかくたびれちゃってて、
なんにもしたくなくなっちゃった。寝ちゃおっかなー。

このような試合を、じっと見続けているわたしに、
どんないいことが待っていてくれるのだろうか。
いや、そんなものはあてにしていない。

あんまり、そこんとこ言われないことだけど、
阿部慎之助……エクボがかわいいんだよ。

いまの選手についての情報も詳しくなくて、
30年前と同じ理論（？）で解説してる解説者って、
どうして起用されるんだろう。
野球が古臭く思われるのって、こういうところからだよなー。

接戦上等！
ほんとに、この覚悟があるだけで、
身が引き締まるし、無用な恐れがなくなる。

四球↓盗塁↓バント↓犠牲フライ＝ソロホームランだよね。

接戦上等！　１ミリでも上回る勝ち方を！
あの盗塁が、１ミリだったか。

試合のない日を除いて、
この一週間で３度の完封負けしているチームなんだけど…
「優勝はまちがいない」なんて言われてていいんでしょうか。

記憶のなかに、涙を見せて胴上げに向かった監督はなかった。
そして、それもまるごと肯定した監督もいなかった。
これが、今年の原辰徳だったと思う。やわらかい！

スポーツ報知
阿部 引退
日本一が置き土産
5年ぶりVで決断

わりに近くにいる某球団ファンの女性が、

「毎日、その球団の今日や明日のことを考えるのが、つらくて、苦しくてしかたがない」と言う。

うれしいときでも悲観的なことを想像してしまうし、チームが不調になったらじぶんの身体まで不調になる。

「いっそ……」と言う。

「野球の悲しみを忘れられるように、じぶんの身に、もっと悲しいことがあればいいのに」と、切実な表情で告白するのであった。

ん〜〜んっと……　バカである。

大馬鹿者であるし、とてもまちがっている。

しかし、彼女のその気持を、

「わからぬでもない」と思ってしまうじぶんもいるのだ。

4連敗で日本シリーズを終わったので、
そのあたりのことでも書こうかと思ったのですが、
書き出して20行ほどすると後が続かなくなるんです。
それを、二度ほど繰り返してたのですが、
もういやんなっちゃった。
巨人、来年に向けてなにをしようなんて、
いちファンの立場ではどうにもならないし。
こんなふうなことを書こうとか、
イメージはあるんですけどね、
書き続けられないんです。
それより、サバの塩焼きのうまいのを食いたいとか、

明日は早めの時間にお医者さんに行こうかとか、
じぶんそのもののことを考えちゃうんですね。

ほんとうのほんとのところは、頭上には、
野球にかかわる悲しみが
黒雲のように残ってるんです。
そんなこと考えていても
しょうがないと知ってるから、
考えるのをやめようとするのですが、
ついついねぇ。
ちょっと今日一日は休もうと思います。
みんな、よろしく。

校庭に、だれかが足を引きずって線を描き出す。
なにもかもが、そこからはじまる。
小学生のときから、それはあんまり変わらない気がする。
地面に、線を引く。
ボールを持ったやつや、バットを持ったやつが集まる。
グラブだって、けっこういくつも集まってくる。
そして、なによりも、選手たちの笑顔がそこに集い、
あのプールの柵をこえたらアウトだとか、
ファール36本でアウトだとか、
校舎の窓ガラスを割ったら「べんしょう」だとか、
いくつものローカルルールの下で試合ははじまる。

原稿を書き終えたり、
野球でなんかいいことがあったりしたとき、
氷をたっぷり入れて飲む
（砂糖もたっぷりの）コカ・コーラは、
世界一おいしい飲みものだと思っている。

拡大して見たまえ。
世界の情勢には
さして影響ないがな。

菅野ー、
見えるぞーーっ!

思えば、ずいぶんと長いことリーダー役をやっている。「いやいや、そんなことしてないですよ」と謙遜したい気持ちはあるのだけれど、やっぱり、じぶんから「リーダーをやっている」と言わなくては、その役をやっている責任を果たせないようにも思う。▼リーダーだから、どれだけリーダーらしいかといえば、つまりは、まぁ、そんなでもないと思う。「オレの背中を見せている」とか言うつもりもないし、「率先して事にあたり、やって見せる」なんてこともない。ましてや、「群の中で、いちばん強い人間」であるはずもなく、「みんなに押し出されて先頭にいる」という覚えもまったくないんだなぁ。そんなことでいいのかと言われれば、ちょっとたじろぐ。でも、ふざけているつもりでなく、ぼくにはリーダーだという自覚がある。ぼくが、この役をやっていたほうが、いい経過といい結果につながると信じている。自惚れているように見えるかもしれないけれど、そんなところで自惚れたいとも思ってはいない。もともと、得意なことだと考えていたわけじゃないし、リーダーになる訓練を積んで来たわけでもない。▼ぼくは、そういうリーダーをやっていることが、いちばんじぶんとチームを活かすと思ってやっている。「あいつのところに行くとなにかおもしろくなる」とか、「あのチームといっしょにやると、なにか起こりそう」「あの人といるのは、なんだかたのしい」なんてことは、一見、損やら得やらビジネスやらと関係なさそうだが、こういうことができていくうちに、いろんなことが、もっとできるようになるものだ。▼どうしたら、そういうリーダーをやっていけるか。あんまりはっきりした答えはないようにも思うが、あんまり「リーダー論」みたいなものにとらわれないで、みんなの「精神の自由」をどうやって確保するか。とにかくそこに重心を置くのがいいのではないかと考えるようになっている。いろんなタイプのリーダーがいるけれど、どうやら、ぼくは、そういうことを考えているらしい。

なにか困ったことがあって、それをどうしたら直せるかを考える。そういう場合、たいてい答えは似てしまうものだ。▼窓のガラスが割れました。ひびが入っただけなら、透明テープを貼りましょう。砕けてしまったのなら、新しいガラスを入れましょう。ガラスはどこかからもらいましょうか、買いましょうか。どの店で買いますか、予算はどうやってつくりましょう。どういう知恵者が集まっても、たぶんこんなことになる。▼窓ガラスが割れたというのは「困ったこと」である、と。そのことを解決するためには、実は、別のやり方もある。窓ガラスが割れたからといって、ほんとうは、「直す＝元に戻す」だけが方法ではないのである。▼まずは、「割れたままにしておく」がある。すべての窓ガラスを、これを機会に総取り替えしてしまうことだってある。極端に言っていいなら、建物を取り壊すのも方法である。だれかが窓ガラスの割れたところに背中をつけて、ずっと立ち尽くしているということだって、できる。バカバカしいと思うかもしれないけれど、「困ったこと」があって、それを直すという考え方は、実は、たくさんある考え方のうちのひとつなのである。▼学校に行きたくなくなったこどもがいたとする。それを「困ったこと」として直そうとするなら、方法はみんな似てくるし、解決のビジョンも似てくる。「やめようか」や「転校しようか」も選択肢にあったら、解決への道は、まったくちがってくるだろう。世の中のいろんな場面で、頭のいい人たちが集まって、「困ったこと」をどう直すかばかりを考えている。「窓ガラスが割れた」も「困ったこと」とはかぎらない。そこまで戻って考えてみたら、どうなんだろうねと思う。

「あの人、変わってるよね」という言い方は、すべての人類について成立する。世の中に、変わってない人間などいない。あらゆる人が、よく探せば、あるいは長い付き合いをしていけば、かならず「この人、変わってるわぁ」と思わせてくれる。▼「んにゃ、あの人は変わってないぞ」というような、あなたの知ってる具体的な人がいるかもしれない。それは、まだ、「あの人」を十分に見ていないのだ。もっと見てたら、もっと親しくなったら、必ずや、「この人、変わってるわぁ」というところが、見つかるはずだ。▼だから、おもしろい、と言いたいのだ。人は、社会性というものを持っているし、それを身につけるための努力もしてきている。倫理的にどういうふうに生きたらいいのかについても、それなりに考えたりもしている。なるべく静かにしていよう目立たないようにしようと、意識的にやっている人だっているだろう。が、残念ながら、そうはいかないのだ。外見やら、内臓のようすやら、感情の動きやら、どうにもならないあれこれが、やっぱり他人とはちがう。「えっ、この人、こんな……??」というところが、絶対にないなんてことは、絶対にないのである。▼「あらゆる人は、変わってる」というのは、考えようによっては、ある種の諦観（あきらめ）である。そして、また、ある種の希望であり、世界というゲームのデザイナーにとっては、おもしろくもすばらしい真実である。そして、このことは、すべての人が知っているはずだ。

なにかを食べるというときに、「なんでもいい」という言い方は、好かれない。こころから「なんでも、ほんとにいいんだ」と言ってもなかなか通用するものではない。しかし、「なんでもいい」は、ほんとうにあるのだ。少なくとも、ぼくにはあった。いまのじぶんの生活の範囲のなかで、どうしても食いたくないようなまずいものなどない。どれを食べるにしても失敗はないのだから、いっしょに食べる人の気に入ったものを共に食べて、そのおいしさを味わえるなら、なんの問題もないのだ。しかし、そこまで説明したとしても(したからこそ?)、納得もされず、相手の機嫌を損ねることさえある。▼こういう立場にいる人は、多いのではないだろうか。なにを食べても問題ないのだから、なにを食べることにも賛成するよとほんとうのことを言っているのに、それが受け入れてもらえない人のつらい世界。ここから脱するには、どうしたらいいか。この答えがやっと、わかった。▼「なんでもいい」と言わないことである。▼言わなければいいのだ、「なんでもいい」のだとしても、「なんでもいい」と。すごい結論に、びっくりされたかもしれない。しかし、そうなのだ、思っても言わないことだ。▼そして、なにを食べたいかということについて、周囲の同意が得られようがブーイングされようが、単純に、じぶんの食べたいものを言うのだ。実際には、言う前に、考えておくことである。そしてそれが却下されても、問題ない。もともとが、「なんでもいい」はずなのだからね。「なんでもいい」を言わないことは、幸福をすこし増やす。

いいてんき。

暑い暑いと、セミと人間が言い出した。
ということは、梅干しを干すのには
とてもいい天気だということだ。
ずっと梅酢に漬かってた梅が、
じりじりと太陽に照らされている。
ブイコ、それを見る。

むだい。

きっと、さみしさをSNSで埋めてるんだよね。
おれも、みんなも。
慰謝としての効果はあるんだろうけれど、
それ以上になっちゃうほど魔力があるんだよね。
ひっきりなしにともだちが集まってくる
「無料のたまり場」みたいなものだから。

「世界最強のなにか」というようなもののなかで、
ぼくが本気でほしいものが、ひとつでもあるだろうか。
ない、ない、ひとつもない。
世界最強でなくても、世界最高というものでも、
ぼくが持ってる意義も、意味も、必要も、なにもない。
だからといって、持ちたい人が持つことや、
ほしい人が奪い合うことなどに反対するつもりはない。
でも、少なくとも、ぼくには無縁のままでかまわない。
世界一より、あってほしいものは、他にいっぱいあるよ。

図々しいかもしれないけれど、
おれは、じぶんにがっかりしたことはなかった。
もともと、大したことないと思ってるからかもしれない。
大したことない人に、適当な期待をするのが、
なんかうまくいく方法なんじゃないかな。
だめなら、次のことを考えればいいし。

子どものころ、家で父に向かって訊いたことがある。
どうしてそんなにしゃべらないでいられるのか。
大人って、しゃべらないで苦しくないのか、と。
そうしたら父は、じぶんも子どものころは、
もっと、おまえのようにしゃべっていたけれど、
だんだんと黙ることをおぼえたのだと言った。
「それでいいのか？」と、ぼくは思ったのだけれど、
いまになってみれば、そういうものかと理解できる。
しかし、その父も、友人と酒を飲みながら
うれしそうによくしゃべっていたものだった。
きっと、ほとんどのみんなが、「会話」が好きなのだ。
人間の本能を語るときには「会話欲」というものを
勘定に入れてもいいいんじゃないかと思うなぁ。

父親に怒られたことは、あまりない。
つまり、何度かは怒られたということなのだけれど、
その記憶は二度あって、いまでも忘れていない。

ひとつは、ラジオ体操に行く道で、
他所の家の庭に実っていた「ゆすらご」をとったとき、
それを目撃した父は「息子が盗っていた」ことを、
かなりの大声でたしなめ、叱ったのだった。
たかが「ゆすらご」を鳥のようにつまんだだけで、
それほど怒られるとは思っていなかったので、
まずはびっくりするのが先だった。

とにかく「どろぼう」をしたと言われたことが、
ほんとうに恐くて、大泣きしながら歩いた。
夏休みのある日、起き抜けのねぼけた時間だったが、
忘れることはできない思い出になっている。

もうひとつは、混んだ汽車に乗って
どこかへ出かけようというときのことだった。
子どもの背丈のぼくは、車内に乗り込むやいなや、
貴重な空席を見つけて、すばしこくそれを確保した。
じぶんとしては小さな子どもなりに、
多少のお手柄を立てようとしたつもりだった。

そのときは「みっともないことをするな」と言われた。
ぼくは、座席の「争奪戦」というゲーム
くらいに考えていたのだと思うが、
父親の考えでは、「見苦しい席の奪い合い」だった。

どちらも、そんなふうに怒られなかったら、
じぶんとしては「まちがい」と思ってなかったことだ。
しかし、父が「あれほど怒った」ということで、
ぼくは、もうしないと決めたし、
それがいけないことだとこころに刻むことになった。

父親が、もっと、しょっちゅう怒っている人だったら、
ぼくは、たいがいの怒られた思い出を忘れてただろう。
「怒らない人が怒る」からこそ、衝撃的だった。
思えば、ずいぶんと効果があったものだ。
あまり怒らないことは、ぼくもそうしているつもりだ。

他界してからの父のこと、
ずいぶん好きになっているなぁ。

ぼくは、そういうことを
考えすぎるタイプなのかもしれませんが、
けっこう若い時分、40歳代くらいから、
「じぶんがこうなったらダメ」ということについて、
冷たいくらいに見てきたつもりです。
これまで、なんとかなってきたのは、
競技種目を変えてきているからだと思っています。
どういう競技の、どういう試合ならやれるのか。
いままでの経験や考えてきたことを生かして、
別の役割をしてきたのです、無意識でしたけどね。

興味が尽きることを「飽きる」という。
飽きていることを、飽きたままやり続けるというのは、
ずいぶんとおもしろくないことである。
興味は、愛ということばに近いくらい大事だからね。
興味のない愛とか、ないよね。愛のない興味は、あるよね。

いつもだったら、夜中の0時になったときに、
どなたかからのお祝いのメールなどが届いて、
「ああ今年も誕生日が来たな」と知るのですが、
今年は、ソファで横になって眠っているうちに、
いつのまにか日をまたいで71歳になっていました。
この「寝ちゃってるうちに」というようなことが、
これからはどんどん増えるんだろうなぁと、
お告げのように感じましたぜ。

ともあれ、年齢がひとつ増えて、
こうしてそれについて、考えたり書いたりしてます。
とても、ありがたいことだと思っています。
このごろ、ぼくはよく言います。
「若い人たちに、いままで以上に
遊んでもらっていることが、
ほんとうにありがたいと思います」

近くに、じぶんみたいな年齢の人ばかりがいたら、
自然に老いていくような気がします。

老いていくのも、自然なのだからいいのですが、
「生きている」というおもしろいことを、
本気で長くたのしめるものなら、
老いていくにまかせるというのは、残念なことです。
じぶんより若い人たちが、ちゃんと手応えを感じて
ぼくとつきあってくれるうちは、
自然に年をとってるひまはありません。
こういう日々がありがたいなぁと、
こころから思うようになっています。
そういう状態が、続けていられるうちは、
遊んでくれる若い人たちのやさしさに甘えます。

「まだまだ若い者には負けん」ではなく、
「おもしろいからいっしょにやろう」で行きます。

丸の内からの帰り道。
月がでっかかった。

「八五」でカルチャーショックを受けて、
そこに通うだけでなく、ここに至る道を歩いてみようと、
「勝本」「つけそば勝本」を訪れましたが、
いやぁたいしたものです！　どっちも見事。
そこにさらに「八五」という高い基準点をつくったんだ。
尊敬します。

「UNDERTALE」のトビー・フォックスさんに、
「イトイさんのすすめるコロッケは、
どこで食べられますか?」と訊かれた。
「だいたい、どこのコロッケもおいしいよ。
デパ地下とかで買ってみたらいいんじゃない?」と答えた。
すばらしいな、コロッケって。

シャインマスカットは、粒ごとにばらばらにして、
洗って冷蔵庫に保存しておくのがいいらしい。
たしかに、すぐ食べられるというだけでもありがたい。
そして、器に盛ったところで塩をね、ほんの少し、
上のほうからパラパラっと振っておくと、おいしい。
スイカに塩を振るのも邪道だとか言われるけれど、
ほんとにおいしいじゃないですか、あの感じですよ。

そういえば、スポーツの秋だけど、
食欲の秋だっていうことも思い出したね。
食うよなぁ、おれも、「食いすぎくん」だよ。
秋だからいいかってことだな、冬も春も夏も食うけど。
栗や梨やぶどうは食べる機会がたくさんあるけど、
今年の秋、ぼくはさんまをまだ2度しか食べてません。
あと、きのこをたくさん食べたいです。

とにかくもちを食おうというイベントをやったのである。
からみもち、あんこもち、しょうゆ、さとうじょうゆ、
海苔、きなこ、すりごま、甘みそなどを用意して、
小さな団子にちぎったつきたてのもちを、
だいたいひとりが5~6個食べたんじゃないかな。
残ったら、お土産にすればいいということで、
大量にもちをつきまくった弊社キッチンであった。

「いいこと考えた！」と、こどもの声で聞こえる。
アイディアが出るって、そういう感じなんじゃないかな。
トンカツと、カレーと、どっちを食べようか思案して、
「いいこと考えた！」と、カツカレーが生まれる。
いわば、そんなことだと思うんですよ。

ひとつの企みがある。
なにかの理由で、人生をやり直さなきゃならないような
厳しい局面がきたときには、ぼくはカラアゲの店をやる。
それだけの可能性を感じているのである。

みうらじゅんが、真顔で
「おれ、酒とか好きじゃないですもん。
好きなのは、カルピスだもん」と
カミングアウトしたとき、
おれは「おれもかも」と思った。
いまも、カルピスをソーダで割って飲んでいる。
うまいなぁ。

いろんなパン屋さんの塩バターパンがあるけど、
だいたいどれもおいしい。
1つ食べると2つめを食べたくなる。

チキンカツとか、ささみフライというようなものを、
最近ひいきにしている。
おいしいし、おおきいし、ハズレがすくない。

マスクメロンもいいけど、夕張メロンもおいしいよねー。

カニが食べたい。
アレルギーだから、食べられないんだけど、
ずっとおいしいんだろうなぁと思って生きてきた。

ぼくは、こしあん寄りのどっちも好き派です。

わりと食べもの全般に言えるんだけど、
「ほんのちょっと焦げてる」感じって、おいしいよね。

いろんな地方にいろんな「道の駅」があるけれど、
そういうところで売ってる「おはぎ」って、
だいたいおいしいよね。

もう少ししたら寝るんだけど、起きたらもちを食うことにした。
うっすら甘いさとうじょうゆで、バターも付けて海苔を巻く。
これを、1個な。

表参道「だるまや」の
「かたい焼きそば」のことだけれど。
いつも「少し残すくらいのつもりで食べよう」と
思って注文するが、
結局ぜんぶ食べてしまうのである。
餃子も食べてしまうのである。

とんかつの丼が食いたい夜中。
この場合、玉ねぎといっしょに卵でとじたタイプのもの。
「やまいち」の大かつ丼とかのこと。

「大戸屋」の
「材料費には糸目をつけない版の店」があったとしたら、
もう、そこの1店舗だけで
全食事回数の9割くらい満足しちゃうと思うなー。

ちょっとうたた寝してるとき、
たまごかけごはんに、
くだいたポテトチップスを入れたらうまいんじゃない？
と考えてる夢を見た。やってみようと思う。

体重計の電池を買うだけのためにコンビニに行くのって、
めんどくさすぎるだろ。
だから、チョコがけコーンアイスも
買わなきゃいけないんだ。いやだなー。

年齢を重ねると、体内の脂が枯れてくるので、
補給しようと揚げ物を求めるようになります。（自社調べ）

大EATと書いて、ダイエットと読ませるのではないか。

お好み焼
きじ

奥会津金山
天然炭酸の水
SPARKLING
MINERAL WATER
Sports Graphic
Number
975
イチローを見たか。
ドキュメント
イチロー
NO RAMEN
NO LIFE
日本ラーメン協会

こんがり

つい先日まで、「もうじきブイヨンの誕生日だな」
なんて思っていたのに、
当の7月15日にはすっかり忘れていた。

他界してからは、命日のほうが刻まれてしまうのかな。
そういえば、人の場合でも、いつのまにか誕生日よりも、
命日のほうでおぼえられるようになるものなぁ。
というところまで考えたところで、はっと気づく。

ぼくには、まだ命日がないのだ。

「吾輩は猫である。名前はまだない。」という
有名な書き出しを思い出してしまうが、
「吾輩は生きている。命日はまだない。」そりゃそうだ。
いつか命日が決まったら、諸君、こう思ってくれ給え。
「あいつは、この日まで生きていたのか。」と、
そのまんまのことを思ってしみじみしてくれ。
誕生日は吾輩のものだが、命日は皆のものだな。

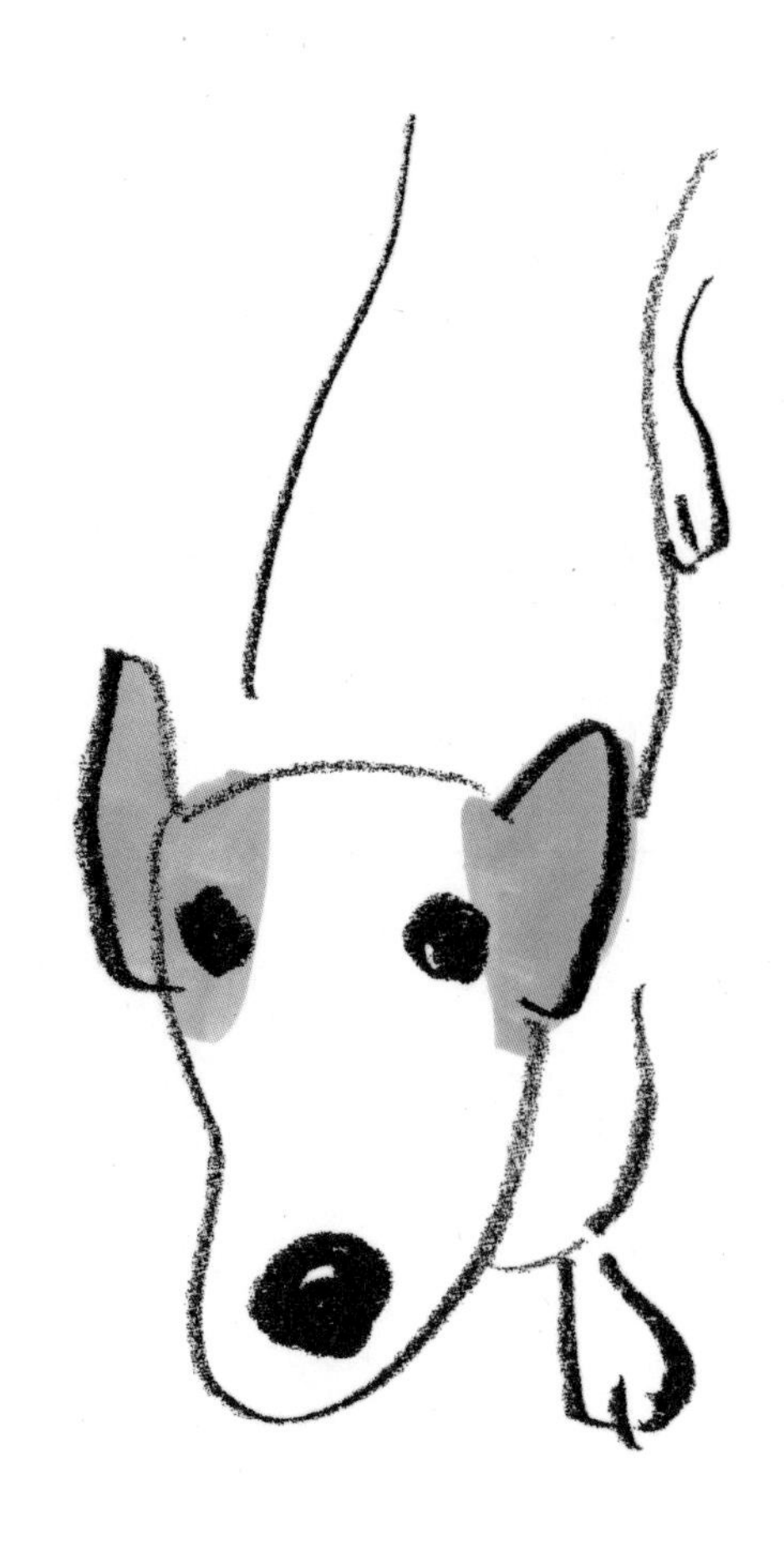

イラスト＝南伸坊

ぼくはかつて熱帯雨林のなかでゆっくりと
飛びながら命をなくしていく蝶の映像を見たことがある。
羽搏きのひらりひらりが次第にゆっくりになって、
着地するというより、落ちて死んでいった美しい蝶。
これをカメラが撮らなければどうだったのだろうか。
そのカメラが撮った映像を、ぼくは見たけれど、
熱帯雨林のほとんどの蝶は、だれの目にも映らずに、
死んでいっているはずだったのだ。
そこになんの問題もあるわけではない。
しかし、だれかが見ること、知ること、感じることが、
あの蝶の美しい死を世界にあらわしたということに、
ぼくはなんだか気が遠くなっていた。

寒さって、月や星を、磨く。

必ず夏はくる。
そして、そのことがさみしく感じられるようになった。
次の夏がくると、ぼくの過ごす夏はひとつ減る。
暑い暑い迷惑な夏も、ひとつ減るのはさみしい。
振り返れば、冬も、ひとつ減らしてしまったばかりなのだ。

「自分のことを理解してくれる」人がいるということ、
そして「よろこびを共有してもらっている」ということ、
人間は、一生、それが欲しくて生きて活動してると思う。

生活ということばがあるけれど、
それって、夢のない、おもしろくないもの
みたいに思われがちだよね。
でも、生活って「生を活かす」ってことだとしたら、
なんか、それがすべてでもかまわないくらいに
大きくて広くて豊かなものだと言えるぞ。
たのしみも、しあわせも、よろこびも、
生活のなかに息づいているもんな。

旅も夢も冗談も恋も音楽も、
生活のなかに含められるものなんだよね。
ロケットだって、顕微鏡のなかの世界だって、
数学の記号だって、一見すると
そうは見えないかもしれないけれど、
人の「生を活かしている」要素や場面だ。
荒唐無稽も酔生夢死も、ホントもウソも、
みんな「生を活かす」のなかにあるよ。

「生きるために生きる」というと、
どうぶつのようだなと言われるかもしれないけれど、
「生きるために生きる」こそが、生きることだ。
生きられるだけで、たいしたことなのだ。
そのたいしたことをやり抜いてきた生きものの、
その末裔こそが、ぼくら、いま生きている人間なのだ。
大事に大事に一日一日を生きている人に、
元気づけられているような気がする。

ふっと気づいた。

「希望」に根拠はいらないのではないか、と。

「その希望の根拠を提出しなさい。

そうでなかったら、その希望やらは認めない」

なんて言われて、理路整然と根拠を言えるとしたら、

それは「希望」じゃなくてもいいことだよ。

2＋3は5になります、みたいなことなのだから、

絶望していたって成立してしまうだろうよ。

「希望」は、ぼやっと明るいものが見える

というようなことなんじゃないかな。

「希望」を失わないというのは、
その、ぼやっとした光が消えないということだよな。

「希望」は、持つか持たないか、それだけのものだ。
なんにでもエビデンスとやらを求める時代だから、
根拠をあげることが
当たり前のようになってしまっているけれど、
そんなこと無理なんだって、いまごろ気がついたよ。
「希望が好き」「希望と共にある」それだけでいいよね。

北杜夫の文章のなかにでてくる
「さよならバイバイよ」ということばが、
好きで好きでたまらなかった六年生のころ。

年をとると、同じ話を何度もすると言われている。
ぼくは、よく同じ話をしているつもりなのだけれど、
それは、年をとる前からのことで、
知っていながら同じ話をしているのである。
しかし、まぁ、思えば、人は一生同じ話をしているのだ。

さて、同じ話だよ。

どっぐ。

おかあさんが
『DOG』という本を、
買ってきました。
ブイコの本かと思ったら、
ちがうのでした。
なーんだ、後で見せてね。

TOBICHIで
「等々靴磨店」開店中。
犬は磨いてもらうものが
ありません。

みんなが
「たのしみ展ロスに
なりそうだ」
と言ってるね。
うん、わかる〜〜。

西荻窪から両国へ。

なんにも想像できないような未来に行くために、
ぼくは生まれたところから離れたのかもしれない。
そのあとやってきたことについても、
予測できそうな道ができそうになると、
なんとなく曲がったり、迷ったりしたがっていた。
「どうして、ここにいるのだろう」と、
そんな問いかけがしたくて、生きてきたような気がする。

ある日が、
ある日としてはじまり、
終わるのかなと思うころに、
ある日が、この日になると知る。
ある日、人は行くのだな。

ほぼ日ブックス

「小さいことば」シリーズ
既刊のお知らせ。

糸井重里のすべての
ことばのなかから
「小さいことば」を選んで、
1年に1冊ずつ、
本にしています。

2007年

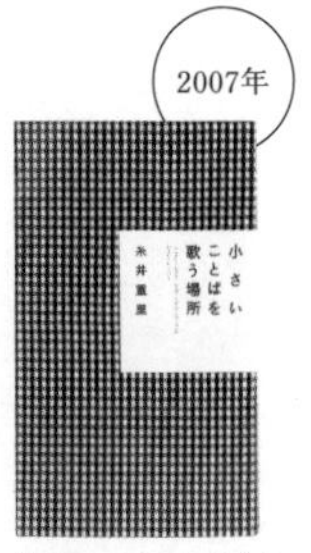

小さいことばを
歌う場所

2008年

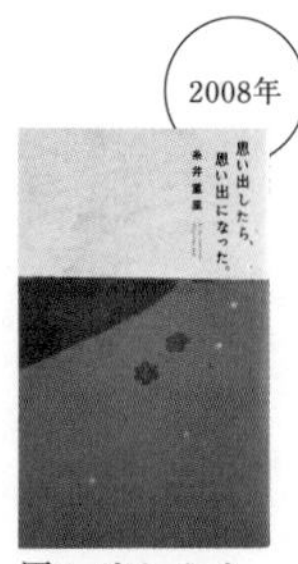

思い出したら、
思い出になった。

2009年

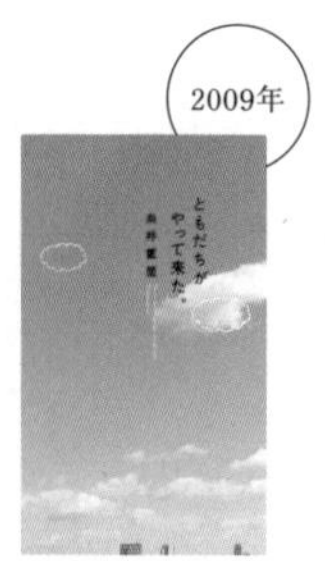

ともだちが
やって来た。

2010年

あたまのなかに
ある公園。
装画・荒井良二

2011年

羊どろぼう。
装画・奈良美智

2012年

夜は、待っている。
装画・酒井駒子

2013年

ぽてんしゃる。

装画・ほしよりこ

2014年

ぼくの好きな
コロッケ。

カバーデザイン
・横尾忠則

2015年

忘れてきた花束。

装画・ミロコマチコ

2016年

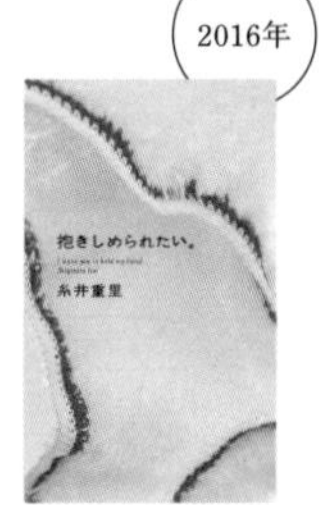

抱きしめられたい。

ニット制作・三國万里子
写真・刑部信人

2017年

思えば、
孤独は美しい。

装画・ヒグチユウコ

2018年

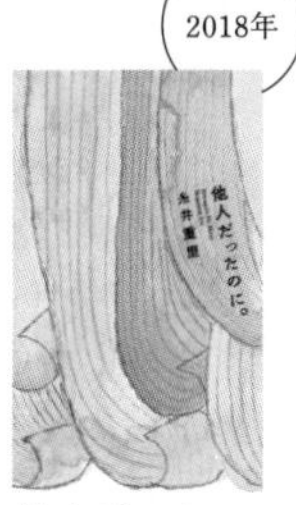

他人だったのに。

装画・皆川明

2020年

かならず先に
好きになるどうぶつ。

装画・ショーン・タン

「小さいことば」シリーズから生まれた文庫本。

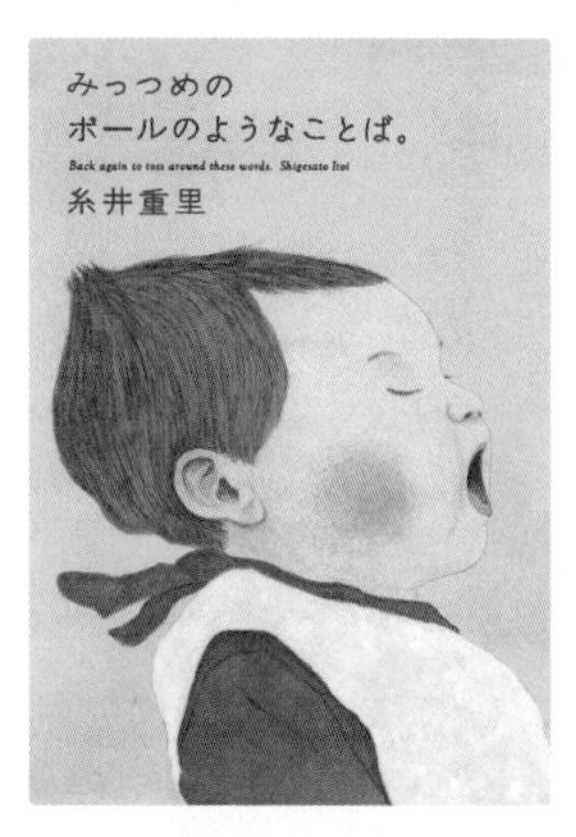

みっつめの
ボールのようなことば。

装画・松本大洋

ふたつめの
ボールのような
ことば。

装画・松本大洋

ボールのような
ことば。

装画・松本大洋

こどもは古くならない。

二〇二一年七月七日　第一刷発行

著者　糸井重里

構成・編集　永田泰大
ブックデザイン　清水　肇（prigraphics）
進行　茂木直子
印刷進行　藤井崇宏（凸版印刷株式会社）

協力　斉藤里香　草生亜紀子

発行所　株式会社　ほぼ日
〒101-0054　東京都千代田区神田錦町3-18　ほぼ日神田ビル
ほぼ日刊イトイ新聞　https://www.1101.com/

印刷　凸版印刷株式会社